J[illegible]

Dès l'âge de vingt ans, Janine Boissard commence sa carrière d'écrivain sous le nom de Janine Oriano, son nom de femme mariée. Avec *B comme Baptiste*, elle est la première Française à publier dans la collection « Série Noire ». En 1977, la grande saga *L'esprit de famille*, publiée cette fois sous son nom de jeune fille, la fait connaître du grand public. Parallèlement, elle écrit pour la télévision. Les chambardements dans la famille, les problèmes de couple et la place de la femme moderne dans le monde du travail sont les thèmes le plus souvent abordés par Janine Boissard dans ses romans. Parmi ses plus grands succès, on retiendra : la saga des *Belle-Grand-Mère*, *Une femme en blanc* (1996) suivie de *Marie-Tempête* (1998) et de *La Maison des enfants* (2000). *Parce que c'était écrit...* (Pocket, 2010) a paru précédemment sous le titre *Les miroirs de l'ombre* chez Fayard.
Mère de quatre enfants, Janine Boissard a publié une quarantaine de romans, notamment, parmi les plus récents, *Un amour de déraison* (Le Rocher, 2008), *Malek* (Fayard, 2008), *Loup, y es-tu ?* (Robert Laffont, 2009), *Sois un homme, papa* (Fayard, 2010), et enfin *N'ayez pas peur, nous sommes là* (Flammarion, 2011).

LA CHALOUPE

**

L'Aventurine

DU MÊME AUTEUR
CHEZ POCKET

MARIE-TEMPÊTE
CHARLOTTE ET MILLIE
HISTOIRE D'AMOUR
JE SERAI LA PRINCESSE DU CHÂTEAU
ALLEZ, FRANCE !
UN AMOUR DE DÉRAISON
PARCE QUE C'ÉTAIT ÉCRIT…
LOUP, Y ES-TU ?
N'AYEZ PAS PEUR, NOUS SOMMES LÀ

DANS LA SÉRIE MARGAUX LESPOIR

UNE FEMME EN BLANC
LA MAISON DES ENFANTS

LA CHALOUPE

LE TALISMAN
L'AVENTURINE

JANINE BOISSARD

LA CHALOUPE

**

L'Aventurine

ROBERT LAFFONT

Pocket, une marque d'Univers Poche,
est un éditeur qui s'engage pour la
préservation de son environnement et
qui utilise du papier fabriqué à partir
de bois provenant de forêts gérées de
manière responsable.

ISBN 978-2-266-15970-8

Remerciements

Merci à ma précieuse famille qui m'accompagne pas à pas tout au long de ma belle aventure d'écrivain.

Et, pour cet ouvrage, merci plus particulièrement à mon gendre, Jean-François Guilmard, marin de cœur, qui m'a guidée sur la plate, le *Vaillant* et l'*Aventurine*.

Première partie

Bobine

1.

Lorsqu'on avait déroulé le bandage qui compressait le torse de Bobine, elle avait fermé les yeux, elle tremblait toute.

Et si c'était pire qu'avant ?

Elle en avait tant entendu, tant lu sur le sujet que c'était soudain comme une vague de fond qui la noyait.

Le pire était cet article où un psy débile prétendait que la mère prenait une part importante dans la décision de la fille de se faire diminuer ou augmenter les seins. Il disait que la fille, avant de se lancer, devait avoir avec la mère une « relation apaisée », ah ah ! Il trouvait même moyen d'y mêler le père, écrivant de sa plume sirupeuse que, si une bonne entente sexuelle régnait dans le couple parental, la fille accepterait plus facilement la venue en elle d'un corps étranger, pauvre papa, qu'est-ce qu'il venait faire là-dedans ? Sans compter qu'il s'appelait Robert, d'où son prénom à elle, Roberte, merci pour le cadeau. Certains n'appelaient-ils pas vulgairement les seins des « roberts » ? Robert Toussaint, en plus. « Tous seins »... La totale aurait été qu'il s'appelle

Robert Nichons, ça aurait été complet, arrête Bobine, ne deviens pas vulgaire toi aussi.

Bref, elle sentait sur les corps étrangers les picotements du soleil qui entrait dans sa chambre de la clinique Belle-Vue (la bien-nommée) et la peur la paralysait.

– Mais ouvrez donc les yeux, mademoiselle, regardez ! suppliait le chirurgien.

– Allez ! On y va ! ordonnait l'infirmière comme si c'était elle qui devait y aller.

Bobine ne pouvant pas passer le reste de son existence les yeux fermés, elle s'était décidée à entrouvrir un œil. Deux.

Dans le miroir tendu, elle avait vu. Et elle avait fondu en larmes.

Cette magnifique poitrine, ces seins hauts, ronds comme il fallait, ni airbags ni œufs sur le plat, lui appartenaient-ils vraiment ? N'était-elle pas en train de rêver ? N'allait-elle pas se réveiller et se retrouver face au honteux spectacle d'un buste de limande et à l'obligation de porter des soutiens-gorge bourrés de mousse pour cacher qu'elle n'avait rien, rien de rien. Alors que, partout ailleurs, elle avait trop, trop de tout ?

Ému par ses pleurs, le prince du bistouri l'avait embrassée, au grand dam de la vache d'infirmière et, durant quelques secondes, Bobine s'était imaginée enlevée sur le blanc destrier de son sauveur.

La première à qui elle avait montré les beautés avait été, bien sûr, Zabelle. Zabelle qui, à la faveur de son accident de moto, avait enfin compris que le mot « complexe » pouvait s'appliquer à autre chose qu'au bâtiment et qui, l'ayant convaincue de se faire réaménager le haut, avait sorti son mètre de décoratrice pour déterminer le format idéal des seins nouveaux, expliquant à Bobine qu'elle ne pouvait passer d'un 65 fillette – merci quand même – à un 95 matrone : « Tu risquerais de tomber en avant. »

Zabelle sa bienfaitrice qui, tout au long de l'éprouvant trajet, l'avait soutenue, rassurée, pratiquement portée jusqu'au billard (pas celui du Café des Rencontres) et qui non seulement lui avait payé la moitié de l'intervention – bien trop coûteuse pour la modeste bourse d'une vendeuse de diététique chinoise –, mais lui avait également offert son premier soutien-gorge : taille 85, bonnets B, dentelle noire.

Ah, quel dommage que le doux fiancé de Bobine, Li Cheng, ait disparu (à la place du mort), dans un tragique accident de voiture. Même s'il lui répétait qu'il l'aimait telle qu'elle était, sûr qu'il l'aurait préférée avec deux belles mangues plutôt qu'avec ses litchis.

– Mais qu'est-ce que tu attends pour clamer ton bonheur à la face du monde ? s'étonnait Zabelle.

Minute ! Clamer aurait été avouer une carence désespérément masquée par Bobine depuis des années. Et ne faut-il pas le temps de s'adapter, même au meilleur ? Elle avait donc préféré taire provisoirement les nouveautés aux autres mousquetaires. Quant à sa mère, elle pouvait toujours attendre. N'ayant rien non plus, et le rien trouvant toujours chez elle moyen de dégringoler, Edwige ne manquerait pas de clamer, elle, son horreur.

Bobine lui avait donc raconté que Zabelle l'emmenait en croisière – ah ! quels paysages ! – et ne pouvant quitter pour la suivre son Bon Petit Coin (acides gras et compagnie), Edwige s'était contentée de prédire une fois de plus qu'elle resterait vieille fille.

Ce qu'on allait voir ! Bobine avait son plan.

D'abord, terminés les déjeuners dominicaux avec « monsieur bien sous tous rapports en vue mariage », qui lui sapaient le moral. Car, parlons-en, des « rapports ».

Née à une autre époque, sa mère était incapable de comprendre l'épreuve que représentait, dans la bourrasque de libération sexuelle, le fait de n'oser faire l'amour que rideaux fermés... et si la partie adverse s'obstinait à réclamer de la lumière, les mains croisées sur ce qui n'existait pas, tétanisant du même coup le bas, ce « continent noir » comme l'appelait si justement Freud.

Mais, depuis que Bobine avait découvert qu'Edwige sonnait comme « j'exige », cela lui donnait une certaine force intérieure pour lui résister ; désormais elle irait seule de l'avant.

Il était temps : dans trois mois, elle aurait trente ans.

Zabelle au téléphone.

– Allô, Julie ? « Resurrection party » au Septième Ciel, jeudi prochain. Huit heures, tenue vaporeuse, ça te va ?

La « Resurrection party » se pratique aux États-Unis pour célébrer la guérison miracle de patients prématurément enterrés par la médecine.

Notre d'Artagnan entendait donc célébrer sa sortie de chaise roulante et abandon de béquilles après son accident.

On allait bien s'amuser.

Pour la « tenue vaporeuse », la date de l'invitation, 1er avril, pointait le nez. Ma garde-robe en étant dépourvue, j'ai emprunté à Brune une tunique si légère qu'elle donnait l'impression de marcher dans un nuage.

Nous y sommes allées ensemble.

Nous nous attendions à trouver au moins une vingtaine de personnes dans le bel appartement du cours Cambronne, près de la place Graslin, mais seules notre hôte et Bobine étaient là. Zabelle dévêtue de buée bleue, Bobine faisant de la résistance, enterrée sous des pelures dignes d'un oignon avant un rude hiver.

Des bougies étaient éparpillées partout. Au lustre frémissait un gros poisson chinois en papier gaufré. Je ne m'étais pas trompée : poisson d'avril.

Un bouchon de champagne a sauté. Nous avons trinqué à nos importantes personnes.

– Prête ? a demandé Zabelle à Bobine.

Celle-ci est devenue toute rouge et, tandis que Zabelle allait tamiser l'éclairage et engager *Shéhérazade*, symphonie appréciée de toutes, elle est allée se planter sous le poisson chinois.

Brune et moi nous sommes regardées : que se passait-il ?

Revenue s'asseoir près de nous, Zabelle a fait signe à Bobine.

D'un geste lent, celle-ci a descendu le zip de sa veste ouatinée et l'a laissée tomber à ses pieds.

Sous la veste, elle portait un cardigan boutonné jusqu'au cou. Aux accents des contes des *Mille et Une Nuits*, notre miss China en a défait un à un les boutons, révélant un cache-cœur de dentelle.

Le cardigan a rejoint la veste sur le plancher.

Il fallait bien nous rendre à l'évidence, notre pudique, qui exigeait à grands cris que nous nous tournions de l'autre côté dès qu'elle laissait apparaître un centimètre de son anatomie, était en train de se livrer à un strip-tease en règle, sous l'égide de sa « maîtresse », comme on dit dans les bordels.

Délacé *pianissimo*, le cache-cœur a rejoint la partition de vêtements aux pieds de la belle et c'est elle qui s'est tournée de l'autre côté.

La musique de Rimski-Korsakov s'est faite plus brûlante tandis que les mains potelées passaient derrière le dos pour dégrafer le soutien-gorge. Durant une éternité, elle l'a fait tourner au bout de son doigt, telle une spécialiste, sinon qu'elle a dû le ramasser deux fois. Se déciderait-elle ?

Je serrais la main de Brune. Le soutien-gorge n'était pas rembourré.

Enfin, elle s'est retournée d'un seul coup et nous l'a lancé à la figure.

– Désormais, nous l'appellerons Shéhérazade, a annoncé Zabelle.

Sous nos yeux s'épanouissait la plus jolie poitrine qui soit.

J'ai lâché ma coupe de champagne.

– Alléluia, a crié la Yankee, perdant pour une fois son calme légendaire.

– Celles qui le souhaitent peuvent toucher, a proposé Zabelle.

– Alors là, pas question, vous pouvez aller vous rhabiller, a piaulé la vedette en entourant de ses bras ce qu'elle ne pouvait plus cacher de ses doigts.

– La prochaine fois, prévenez, j'emmènerai Marcel, a conclu Brune.

Poisson d'avril oblige, nous avons soupé de saumon et esturgeon accompagnés de leurs œufs orange et gris. La vodka a coulé à flots. Puis, la folie étant contagieuse, Rimski-Korsakov a repris du service et chacune a été priée de retirer ses voiles.

Zabelle a donné l'exemple : abondance et fermeté.

Brune : impertinence et élasticité.

L'effeuillage n'est pas mon truc et la tunique nuage empruntée à Brune ne pouvant se retirer que par la tête, et en un seul morceau, il me fallait révéler aussi le bas, ce qui n'était pas prévu dans le contrat.

On ne m'a pas laissé le choix mais j'ai eu l'autorisation de garder ma culotte Petit Bateau.

– Étudiante, toujours ! a jugé Zabelle lorsque j'ai retiré le haut.

– Mignon, mignonissime, a apprécié Brune.

Du haut de ses merveilles, Bobine me regardait avec pitié.

« Promets-moi une chose, n'en change jamais », disait Julian en prenant les mignons dans ses mains.

J'ai préféré me taire.

2.

On dirait que je suis abonnée aux îles.

L'île de Mauves, sur laquelle se trouve La Chaloupe. L'ex-île de Trentemoult, en face de Nantes, où a eu lieu le sauvetage du *Valeureux*, le voilier de Lazare Soulas. Et, enfin, l'île de Beaulieu où niche le siège local de France 3.

En ce souriant début d'après-midi d'avril, allant vers mon rêve : présenter à la télévision mon émission « Bonjour Tout le Monde », il me semble, comme Bobine devenue Shéhérazade, aller vers une nouvelle vie.

La main dans celle de Julian.

« Aurais-tu oublié que la définition d'un roman de gare est de finir bien ? »

Ses paroles bercent mon espoir. Et au diable le mot « gare », si c'est vers toi que le train m'emporte.

Ce matin, Denis Brissac, mon directeur à Radio-Sourire, s'est montré particulièrement odieux. Que j'aie repoussé ses avances, et qu'en plus mes auditeurs soutiennent l'esprit de mon émission, c'est trop pour son orgueil. Quel bonheur si je pouvais bientôt lui annoncer mon départ.

– Un départ pour où, Julie ?

– Pour la télévision, Denis.

Ce jour-là, c'est décidé, je l'appellerai par son prénom !

– M. Labauville revient dans un instant. Voulez-vous vous asseoir, mademoiselle ? Un café, peut-être ?

– Non, merci.

L'assistante du rédacteur en chef me sourit et retourne à sa table. De crainte d'être en retard, j'arrive souvent en avance.

« Erreur », assure Zabelle. Il faut savoir se faire désirer.

« Manque de confiance en toi, diagnostique Brune. Tu as peur qu'on ne t'attende pas. »

Pour moi, simple courtoisie. Il y a des mots, paraît-il usés, que je revendique.

De mon siège, j'observe la tenue de l'assistante de celui qui sera peut-être un jour mon patron. Tailleur léger, top en soie, talons hauts, maquillage et bijoux assortis.

Après avoir longuement hésité – manque de confiance en moi ? – j'ai opté pour la simplicité : pantalon de toile beige, pull et talons plats.

Étudiante, toujours ?

– Mademoiselle Guillemin, pardon de vous avoir fait attendre.

Avec un grand sourire, Germain Labauville me tend la main. Costume strict, cravate, lunettes à double foyer, lui, très VIP.

J'ai si souvent pensé à lui depuis notre rencontre il y a une huitaine sur l'île de Trentemoult qu'il me semble ne pas l'avoir quitté : « Votre émission pourrait m'intéresser... »

Il m'entraîne dans un vaste bureau.

– Le directeur des programmes nous rejoint tout de suite. Je lui ai confié les cassettes que Julian m'a fait parvenir. L'idée lui plaît.

Une bouffée de reconnaissance gonfle ma poitrine. Non content de m'écouter, Julian m'a enregistrée ! Quel cachottier !

– À propos, comment va notre ami ? s'enquiert Labauville.

Prise de court, je balbutie : « Mais... bien, je suppose. »

Il ne m'a pas donné de nouvelles depuis la sortie triomphale du voilier de Lazare.

« Si tu es d'accord, c'est moi qui t'appellerai. Et ne te fais pas de souci, je ne te perdrai pas de vue », a-t-il dit en me quittant. « J'ai mes espions. »

L'homme qui nous rejoint dans la pièce a une quarantaine d'années, grand, brun, tenue sport.

– Alix Marini, me le présente Labauville. Alix, voici la fameuse Julie.

Le directeur des programmes me tend la main : poignée franche, regard droit. Froid ? Nous prenons place dans un rond de fauteuils, devant une table où ont été préparés bouteilles d'eau et gobelets. Après avoir demandé à son assistante qu'on ne le dérange pas, Germain Labauville nous rejoint.

– Si vous avez soif, vous vous servez, Julie. La fumée du cigare ne vous gêne pas ?

Je fais non et il allume un cigarillo comme ceux de Zabelle. Puis il se tourne vers moi.

– À présent, racontez-nous de quelle façon vous voyez vos « Tout le Monde » sur le petit écran ?

Je reste interdite. Mais comme à Radio-Sourire, bien sûr... Je ne me suis même pas posé la question. Je n'ai rien préparé. Nulle, Julie, le contraire de pro. Il me semble le lire dans le regard ironique du directeur des programmes.

Je m'efforce d'affermir ma voix.

– Eh bien, les deux parties devront être conservées. La première où je présente mon invité, la seconde où intervient l'interlocuteur-surprise.

– Avez-vous déjà travaillé pour la télévision ? demande Alix Marini.

– Pas encore. Mais j'y pense depuis longtemps.

– Y penser est une chose, la mettre en pratique une autre, répond sèchement le directeur des programmes. Et, me passant vos cassettes, je me suis posé une question : vos invités, au demeurant fort sympathiques, mais que l'on sent déjà impressionnés par un simple micro, accepteront-ils de venir raconter leur vie devant un public autrement nombreux que celui d'une radio associative ? Et, mettons qu'ils acceptent, ne risquent-ils pas d'être paralysés par les projecteurs ?

– Mais il n'a jamais été question que je leur demande de raconter leur vie. Et c'est tout mon travail que d'obtenir leur accord, les mettre en confiance, les guider durant l'émission.

Mon sang bat à mes tempes. Du calme, Julie ! Mais cet homme me déplaît. Il est aussi froid que Labauville est chaleureux. Et ne s'apprête-t-il pas, comme l'a fait Denis Brissac, à me demander de trahir l'esprit de mon émission en choisissant des invités plus « hauts en couleur » pour la pimenter ?

« Continue comme ça, Julie. Ne change pas », m'encourageait l'homme que j'aime.

La flamme m'anime une fois de plus.

– Et puis vous savez, monsieur, le public n'est pas le voyeur que certains voudraient en faire. C'est la timidité, la modestie de mes invités qu'il apprécie, les sentiments vrais qu'ils expriment. En les écoutant, ils regagnent... leur propre estime.

– Bravo, Julie, applaudit Labauville. C'est très exactement pourquoi votre « Bonjour Tout le

Monde » nous intéresse. Une invitation à pénétrer, sur la pointe des pieds, dans le jardin secret de gens... comme vous et moi. Plutôt que de regarder par le trou de la serrure de la pièce à linge sale, ajoute-t-il avec un rire.

La reconnaissance m'emplit, à nouveau l'espoir. Je me sers un verre d'eau et le vide d'un trait. J'ai la bouche comme du carton. Sans doute y avait-il trop longtemps que « l'étudiante » n'avait pas passé d'examen.

– Je voulais simplement rappeler à Julie que la télévision est une autre affaire que la radio, explique le directeur des programmes. Surtout lorsqu'il s'agit de « direct ».

Son regard revient à moi.

– Aussi ne voyez aucune attaque dans cette question : vous est-il arrivé d'être mise en difficulté par l'un de vos invités ? D'avoir, en quelque sorte, eu une mauvaise surprise ?

Comme une gifle, le visage furibond de Roseline Chantelle m'apparaît : la poétesse plagiaire qui avait fait scandale à mon micro.

« Merci pour l'émission de merde. »

À nouveau, la chaleur embrase mes joues. Dois-je en parler ? Avouer mon erreur de choix ? Mais, en deux années de travail à Radio-Sourire, cela ne m'est arrivé qu'une seule fois. Et ne m'en suis-je pas tirée avec les honneurs ?

– J'agirai de sorte que cela ne se produise pas.

– Parfait, s'incline Marini. Nous vous faisons confiance. Juste un dernier point concernant la seconde partie de votre émission, votre « interlocuteur-surprise ». Nous devrons connaître son nom à l'avance afin de pouvoir le montrer à l'image. Y voyez-vous un inconvénient ?

– Mais pas du tout, au contraire.

– Et, pour la pause musicale, on maintient ? continue Marini.

Cette fois, c'est Lazare et son voilier prisonnier qui m'inspirent.

– On pourrait la remplacer par un document, montrant le quotidien de mon invité. Il est souvent fort instructif.

Totalement requinquée par les encouragements de Labauville, j'ajoute :

– À condition, bien sûr, que j'arrive à le convaincre.

Sensible à l'humour, Alix Marini m'offre son premier sourire.

Puis nous avons abordé les questions pratiques.

Il serait nécessaire que j'assiste à plusieurs tournages pour me familiariser avec le plateau. Marini mettrait son assistante à ma disposition. Elle me présenterait l'équipe et répondrait à mes questions. Un numéro zéro, c'est-à-dire un essai grandeur nature, serait organisé le plus rapidement possible.

– Si celui-ci est concluant – ce dont je ne doute pas – nous commencerons début juillet : programme de vacances, m'a annoncé Labauville. Cinquante-deux minutes le samedi à quatorze heures. Si cela vous convient, bien sûr, a-t-il ajouté d'un ton malicieux.

Ma tête s'est mise à tourner. Si cela me convenait ? Jour et heure de grande écoute.

– Très bien, suis-je parvenue à articuler.

– Et pour le décor, comment le voyez-vous ? a demandé le directeur des programmes.

J'ai fermé les yeux : Bonjour, mes modestes Tout le Monde !

– La rue, ai-je répondu. Une rue pleine. Une grande photo en noir et blanc de ceux qu'on appelle des « passants ». Des visages d'hommes et de femmes, la fatigue, la joie, l'espoir. Tous ces « anonymes » comme on dit et qui, pourtant, si l'on se donne la peine d'aller la leur réclamer, ont chacun une histoire à raconter. Parfois si belle.

– Banco, a dit Germain Labauville.

3.

Voix satisfaite de papa à l'appareil.

– Ça y est ! J'ai les coordonnées de ton docteur Fleury. Promets-moi de ne pas aller raconter, ni toi ni tes amies, comment je les ai obtenues. Ce qu'a fait mon inspecteur n'est pas réglo-réglo.

– Ton inspecteur peut dormir sur ses deux oreilles ; nous ne connaissons même pas son nom.

– Tu notes, Julie ?

J'abandonne la pomme dans laquelle je croquais quand mon père a appelé. Sept heures. Un fruit, aliment vivant, doit se déguster de préférence avant le repas afin que ses enzymes facilitent la digestion de ce qui suivra : bible de notre miss Yin-Yang.

– Vas-y.

Huit chiffres commençant par 06, c'est tout.

– Mais ce ne sont pas des coordonnées, ça, c'est juste un numéro de portable ! Où habite-t-il ?

– Désolé, ma chérie, mais mon ami ne m'en a pas offert davantage. Il m'a juste signalé que votre docteur n'arrêtait pas de déménager... entre deux séjours à l'hôpital. Ce n'est pas étonnant que vous ayez perdu sa trace. Un détail qui vous intéressera peut-être : on le voit souvent en compagnie d'une femme.

Pourquoi mon cœur bat-il plus fort ?

– Une femme comment ?

Papa a un rire.

– Peut-être voudrais-tu savoir aussi s'il la met dans son lit... Ne crois-tu pas qu'après ce qu'il a subi on peut lui pardonner de se consoler ?

– C'est l'artiste qui parle ?

– L'artiste a été très fier de sa fille l'autre jour à Trentemoult.

La langue me démange de lui raconter mon rendez-vous avec France 3, cet après-midi même. Du calme, Julie ! Attends au moins d'avoir franchi le cap du numéro zéro.

– À présent que vous avez retrouvé votre oiseau, quelle est la suite du programme ? interroge-t-il.

– Savoir tout-tout-tout sur les objets bizarroïdes trouvés dans les tiroirs de Violaine. Notamment sur un talisman baladeur...

J'ai volontairement gardé le silence sur les apparitions de la mystérieuse femme en noir, cause de l'accident de Zabelle. Le médecin se serait inquiété.

– Tiens-moi au courant de l'évolution des « diableries », s'il te plaît, me demande-t-il d'une voix comme ci comme ça. Et pas un mot à ta mère, bien sûr !

– Promis, mon père. Et merci.

– À bientôt, ma fille. Tu me rappelles ?

Je termine ma pomme en me promenant dans les allées du ciel enflammées par le soleil couchant. Ce soir, la Loire n'est qu'un calme murmure. Dis-moi, mon fleuve, que penses-tu de tout ça ? La journée des bons numéros ?

Le numéro zéro de France 3.

Le numéro de portable du père de Violaine.

Ne nous emballons pas.

Pour France 3, rien n'est fait.

Pour le docteur Fleury, le 06 ne va-t-il pas nous replonger dans les « diableries » ?

– Eh bien, cette fois, on est bonnes pour remonter sur le cheval, a soupiré Zabelle lorsque je lui ai fait part de l'appel de mon père.

Retourner à la Chaloupe... ce que nous n'avons pas fait depuis sa sortie d'hôpital, plus de deux semaines.

Un frisson m'a traversée.

– Parce que c'est à la Chaloupe que tu as l'intention de donner rendez-vous au docteur Fleury ?

– J'ai même celle de lui mettre le nez dans les fameux tiroirs à magie noire.

– Et s'il refuse de venir ?

– On l'enlèvera. À quatre, ça ne devrait pas poser de problème.

En attendant, une réunion a été organisée d'urgence au Septième Ciel. Pas question que Zabelle appelle le papa de notre déesse sans qu'on lui tienne la main : « Comme un petit souffle au cœur, tu vois ? »

Si je voyais ! J'avais le même.

Après la « Resurrection party » en l'honneur des seins neufs de Bobine, nous avons donc eu droit à la « Resurrection docteur Fleury ».

Il est sept heures trente, heure à laquelle, d'après les statistiques maison – après travail, avant dîner –, les cellulaires perso sortent du sommeil. Nous avons commencé par nous donner du cœur à l'ouvrage à l'aide de bulles dorées. Le moment est venu.

Avec un sourire engageant, Zabelle désigne à Bobine le numéro donné par mon père, posé près du téléphone fixe.

– À toi l'honneur, Shéhérazade ?

La ressuscitée lève les yeux au ciel et cache ses mains derrière son dos, ce qui met en valeur le miracle.

Zabelle se tourne vers moi : « Juliette ? »

– J'ai déjà fourni les coordonnées, je ne peux pas tout faire.

Pour Brune, qui n'a rencontré qu'une seule fois le docteur Fleury, lors de la signature chez le notaire, c'est exclu.

– Eh bien voilà, se résigne Zabelle en décrochant le téléphone. Moi, encore moi, toujours moi. Vous voyez, les filles, j'en ai un peu assez de pourvoir à tout : local, boisson et sueurs froides.

Elle compose le numéro, met le haut-parleur.

Imaginez !

Une sonnerie... deux... trois.

Et certaine qui soudain préférerait que nul ne décroche alors qu'elle a tout fait pour que cet instant soit...

– Allô ? dit la voix du docteur Fleury.

Zabelle serre fort la main sur l'appareil.

– Bonsoir, docteur. C'est moi, Isabelle, Zabelle.

Imaginez un lourd silence. Là-bas, nous ignorons où, nul doute que ce prénom n'est pas une bonne nouvelle.

– Comment as-tu eu mon numéro, Isabelle ?

La question a été prévue, le mensonge aussi.

– La petite souris... vous savez ? Celle qui trouve tout sur un écran bleu.

Nouveau silence. Zabelle désigne sa coupe. Je m'empresse de la remplir. Bobine s'est recroquevillée dans le canapé. Brune hoche la tête. Il nous en aura fallu du temps pour comprendre que la disparition de notre cher docteur était volontaire.

« Il n'arrête pas de déménager. »

Il se cachait de nous.

Je termine ma coupe, suivie par Bobine. Pourquoi ce revirement ? En juin dernier, chez maître Jacquin, il semblait si heureux de nous retrouver. Il s'était montré si chaleureux.

– Je vous laisse mes coordonnées au cas où...

Qu'a-t-il pu se passer pour qu'il change si brusquement d'avis ?

– On m'a dit que vous me cherchiez. Quelque chose ne va pas ? demande-t-il d'une voix encombrée.

– Juste une ou deux questions à vous poser, répond Zabelle prudemment. Que diriez-vous de nous rendre visite à la Chaloupe le week-end prochain ?

– N'est-il pas possible de se voir plus près ? À Nantes ? Je me déplace difficilement.

« S'il le faut, on l'enlèvera », avait décidé Zabelle crânement.

Elle supplie.

– Docteur, s'il vous plaît, vous ferez bien ça pour vos mousquetaires ? Voulez-vous que nous passions vous chercher ?

Imaginez, dans le haut-parleur, un souffle rauque, comme une lutte qui se livre.

– Dimanche vers trois heures, cède le père de Violaine. Je viendrai par mes propres moyens. Mais, je te préviens, je ne pourrai pas rester longtemps.

Il raccroche. Nous nous regardons.

– J'ai comme l'impression d'avoir attiré un ami dans un piège, dit Zabelle.

Imaginez d'Artagnan, les larmes aux yeux.

4.

Avec le printemps, les maraîchers avaient repris possession de l'île, travaillant au muguet du 1er mai. Muguet porte-bonheur, n'est-ce pas ma petite sœur, la « clochette » ? Mariage prévu en juin prochain.

Le soleil se reflétait dans les plastiques blancs qui recouvraient les plantations et, de loin, c'était comme des vagues.

Tant qu'à faire de « remonter sur le cheval », et malgré l'interdiction de la médecine, Zabelle avait réenfourché sa moto. Nous étions arrivées à la Chaloupe dès le samedi après-midi et, avant toute chose, avions fait, à quatre, le tour de la maison. Apparemment, rien n'y avait bougé et ses murs ne sentaient plus que les bons moments passés ensemble. Comme ils avaient peu duré !

Reviendraient-ils ?

Lorsque j'avais parlé à mes amies de la femme vue en compagnie du docteur Fleury, elles avaient eu le même sursaut que moi : la femme en noir ?

Celle que nous avions aperçue place Graslin lors des trente-deux ans de Zabelle et dont la démarche dansante, la longue chevelure brune, nous avaient tant rappelé Violaine ? Mais qui,

Zabelle nous l'avait affirmé, n'avait rien à voir avec elle.

La même qui, à ses dires, lui était apparue près du moulin de Trompe-Souris, provoquant sa chute de moto ?

– Tu l'as bien regardée, tu es sûre que ce n'était pas Violaine ? avait insisté Bobine épouvantée.

– Droit dans les yeux ! Ce n'était même pas son fantôme. Et voudrais-tu m'expliquer pourquoi, si Violaine était revenue, elle ne serait pas ici avec nous à l'heure qu'il est ?

Fantôme ou non, le premier geste de Zabelle, entrant dans la maison, avait été d'ouvrir grandes les fenêtres et de créer des courants d'air pour chasser l'odeur de Voyage qu'elle affirmait y avoir sentie le soir de son accident. Sûr de sûr, l'eau de toilette de notre amie.

Oserions-nous parler au docteur Fleury de sa... compagnie féminine ?

J'ai toujours été une lève-tôt et, à la Chaloupe, la première, avec Marcel, notre bien-aimé chien-débardeur, à interroger le ciel.

Brune, qui travaille de bonne heure à l'hôpital, me suit de près. Zabelle, couche-tard, est rarement debout avant neuf heures. Bobine, bonne dernière.

On prétend que refuser de quitter la couette, c'est refuser la vie. Si, en plus, vous séchez le petit déjeuner, oh ! là, là !

Il était un peu plus de six heures lorsque j'ai sorti pots de confiture, miel, pain bis et beurre salé. Tandis que le café chauffait, nous avons fait, Marcel et moi, un tour de jardinet.

Mauves dormait encore. En dépit d'un ciel clair, le vent mauvais qui ratissait la Loire ne nous permettrait pas de recevoir le docteur Fleury sur la terrasse comme nous l'avions espéré. Dommage, n'est-ce pas, Marcellou ? Ce dimanche, nous n'aurions pas non plus la compagnie des maraîchers. Nous serions, comme autrefois, entre nous.

Saint-Denis sonnait à grands coups la fin de la messe, Zabelle avait dégusté son cocktail de fruits frais et Brune croqué ses céréales, j'avais repris un café avec elles, lorsque Bobine a fait son apparition, le visage encore chiffonné de sommeil.

Tous les regards sont allés là où l'on imagine. Ouf ! sous la « tenue n° 2 », les nouveautés étaient toujours en place.

À la suite de l'opération, Shéhérazade avait renouvelé la partie supérieure de sa garde-robe.

La tenue n° 1, baptisée « la torride » par Zabelle, ne laissait rien ignorer de l'impeccable travail du chirurgien ; Bobine n'osait pour l'instant la porter qu'en notre présence, armée de lunettes noires, teint cramoisi.

La n° 2 – choisie pour aujourd'hui –, pull et corsage légers, montrait sans provocation que les choses avaient évolué.

Enfin, la n° 3, la même qu'avant métamorphose : chemise floue et vaste chandail, était réservée à la redoutable Edwige à laquelle la pauvre Bobine n'avait pas osé avouer l'intervention. Le ferait-elle un jour ?

Son lait soja accompagné de biscuits sésame, dégustés avec toute la lenteur et la concentration voulue, elle s'est chargée d'égayer le salon pour notre invité en disposant, aux endroits adéquats, de hauts bouquets de feuillage et de fleurs afin qu'ils prodiguent les meilleures énergies.

Nous en aurions besoin.

Moi, j'aurais volontiers invité les oiseaux, ceux dont le docteur Fleury saluait le passage : sa très chère barge rousse, mais également la sterne noire, le héron cendré et, pourquoi pas, une bonne vieille et poussiéreuse cigogne.

Ami de tous les animaux, il encourageait Jocelyn dans ses études de vétérinaire : « Tu exerceras un métier bien plus difficile que le mien car nos frères les animaux ne savent pas nommer leur mal, ils ne savent que pleurer. »

Jocelyn... Depuis combien de temps n'avions-nous pas vu ici l'assidu de Cybèle ? Inutile de nous voiler la face : depuis la découverte, dans notre plate, d'une poupée masculine au sexe et au cœur percés de clous.

Après avoir tant réclamé notre compagnie, nous fuyait-il pour la même raison que le docteur Fleury ?

Nous avons picoré plutôt que déjeuné sur un coin de bar, puis Zabelle a ouvert le coffre où nous rangions les queues de billard, offertes autrefois par le maître à ses mousquetaires.

Si le généreux docteur Fleury y avait admis Jocelyn, par faveur spéciale, c'est qu'il savait que le billard était l'un des rares sports où pourrait briller celui qu'au bourg certains appelaient durement « le Boiteux ».

Nous, nous l'avions surnommé Atys, du nom d'un dieu berger. Son père n'élevait-il pas des chèvres ?

À l'époque, il n'y avait pas de table à Mauves mais ici même, au premier, la « table du Roi-Soleil », une merveille aux pieds sculptés, aux rebords de chêne incrustés de doux losanges en ivoire.

– Qui sait si Louis XIV n'a pas joué sur ce tapis ? plaisantait le docteur Fleury en y promenant le dos de la main.

Nombreuses étaient les femmes qui, alors, pratiquaient le billard et le roi se plaisait à jouer avec elles.

Quant à Jean de La Fontaine, n'écrivait-il pas : « Le but est un cœur fier, la bille son pauvre amant. On pratique ce jeu pour toucher au plus tôt l'objet de son amour » ?

Nous étions bien d'accord.

Le docteur Fleury désignait à Jocelyn la guirlande de fleurs finement ciselée qui courait autour de la table.

– Ne dirait-on pas qu'elle a été faite pour toi ?

Nous riions, cruelles sans le vouloir, car la légende disait qu'Atys était amoureux de Cybèle, divinité des cimes boisées.

Et notre « boiteux » l'était bien de la « si belle » Violaine, qui ne prisait, elle, le billard que pour y prendre des poses.

La queue de Jocelyn ne se trouvait pas dans le coffre, mais Brune avait autorisé Barbara à y ranger celle qu'elle lui avait offerte pour Noël. À la fureur de Bobine, d'autant plus jalouse de la « protégée » de notre Yankee qu'après seulement quelques leçons celle-ci l'avait devancée.

Un jour, excédée par ses protestations, Brune, qui était rarement méchante, lui avait lancé :

– Le jour où tu vendras ta part, pense à Barbara. Elle, la Chaloupe ne lui fait pas peur.

Dès deux heures trente, nous étions fin prêtes à accueillir notre invité. Sur la table, machine à espresso, bouilloire pour thé ou infusion, notre plus belle porcelaine, une coupelle de sablés nantais.

Même Marcel tendait l'oreille.

À trois heures moins le quart, Bobine a mis la bouilloire en route.

Elle l'a arrêtée à moins dix et rallumée cinq minutes plus tard.

– Tu vas finir par la casser, l'a avertie Brune. Inutile de t'énerver comme ça.

– D'autant plus qu'armée comme tu l'es, plus rien de mauvais ne peut t'arriver, a ajouté Zabelle.

– Justement..., a maugréé Bobine.

Elle a baissé le nez sur ses nouvelles armes.

– Je me demande s'il remarquera. Après tout, il est docteur.

Un rire général a salué ses paroles ; le premier vrai rire depuis que nous avions retrouvé la maison. Sacrée Shéhérazade !

– Si tu veux mon avis, il ne verra que ça, s'est étouffée Brune.

– Qu'on aille vite chercher la « tenue torride », a crié Zabelle.

D'un doigt vengeur, Bobine a arrêté la bouilloire.

« Il arrive », a aboyé Marcel en galopant sur la terrasse.

Nous l'avons suivi. Près du moulin de Trompe-Souris, un taxi cahotait.

– Portables éteints ? a vérifié Zabelle.

Portables éteints. Mais pas nos cœurs.

5.

Qu'est devenu le fringant médecin, l'homme plein d'allant, le passionné de « carambole », fondateur de la grande équipe des mousquetaires au féminin ?

Le père heureux...

Certes, nous l'avions trouvé vieilli en juin dernier, lors de l'achat de Cybèle, mais, aujourd'hui, il n'est plus que l'ombre de lui-même. Le teint terreux, le pas hésitant, il flotte dans ses vêtements : un homme malade.

« Entre deux séjours à l'hôpital », a dit papa.

Spontanément, Zabelle, Bobine et moi allons l'embrasser. Brune lui tend la main. Marcel quête une caresse qui ne lui est pas accordée.

– J'ai demandé au chauffeur de venir me reprendre dans une petite heure, nous annonce-t-il.

Si peu de temps pour tant de questions...

– Venez voir, docteur, dit Zabelle d'un ton faussement léger en glissant son bras sous le sien et l'entraînant dans le salon.

Sur le seuil de la pièce, il s'immobilise. Son regard parcourt le grand espace baigné de lumière qui a remplacé les trois pièces sombres d'autrefois : salon, salle à manger, cuisine.

– C'est bien, approuve-t-il. C'est gai.

Sans aucun doute, une découverte. Ce n'était pas lui notre « visiteur ».

Zabelle l'aide à retirer sa gabardine. Il fait quelques pas à l'intérieur.

– J'avais pensé à quelque chose comme ça, dit-il. Mais vous connaissiez Bertille. Elle ne voulait pas en entendre parler. Elle, c'étaient coins et recoins.

De la poche de sa veste, il sort une paire de lunettes noires et y cache sa tristesse. Sait-il que nous sommes au courant du suicide de celle que nous appelions avec affection la « Capitaine », tant elle dirigeait Cybèle et ses habitants d'une main de fer.

Zabelle entraîne à présent notre invité vers le coffre et désigne les étuis bien rangés.

– Grande nouvelle ! Une salle de billard vient d'ouvrir à Mauves. Nous espérons bien vous y emmener un de ces jours ; le maître sera fier de ses élèves.

Le maître se courbe péniblement sur le coffre, prend l'un des étuis au hasard, en sort la queue. Mon cœur bat : c'est la mienne.

D'un geste amoureux, sa main remonte lentement : le talon, le fût, la flèche, la girole, le procédé... Tous ces beaux noms.

Mais il y avait les autres ! Et, lors de sa première leçon, le docteur Fleury nous avait mises en garde.

« Vous allez en entendre, les filles ! La queue, la coule, le limage... Dites-vous que seuls les imbéciles se livrent à des allusions grivoises. »

Le silence est plein d'un passé qui nous prend à la gorge. C'était si bien lorsque ici il n'y avait que quatre petites fenêtres au lieu d'une baie et, là-haut, la table du Roi-Soleil !

Il soupèse la queue, se tourne vers moi.

– La tienne, Julie ?

J'acquiesce : la plus lourde en raison de ma taille et mon poids.

– À propos, demande Zabelle d'une voix émue, qu'est devenue la table ?

– Tous les meubles ont été vendus aux enchères, répond le docteur Fleury. De nombreux antiquaires avaient fait le déplacement depuis Nantes. Pour la table, c'est finalement Lepape qui l'a emportée.

Le ton s'est durci sur le nom du préparateur en pharmacie. Nous nous regardons, incrédules. Il n'y a pas si longtemps, Guy Lepape défiait Brune au billard du Café des Rencontres. « Il préfère jouer seul », avait dit Jocelyn. S'exerce-t-il chez lui sur la table du Roi-Soleil ?

Le docteur Fleury a remis la queue dans le coffre. Le couvercle claque comme un adieu.

– Si vous veniez vous asseoir ? propose Zabelle.

Il tombe lourdement dans un fauteuil. D'autorité, elle s'installe à son côté. Marcel est revenu à Brune, queue battant modérément : qui est ce malotru qui ne l'a même pas gratifié d'un regard ?

– Vrai café, faux ou infusion ? s'empresse Bobine en allumant la bouilloire. Vous savez, docteur, les infusions, c'est ma spécialité.

Celui-ci retire enfin ses lunettes et sourit gentiment à notre diététicienne maison. Un as, la petite, pour détendre une atmosphère.

– J'ai entendu dire ça. Voyons ce que tu me proposes ?

De plaisir, miss Yin-Yang rosit.

– De la sauge. Je l'ai fait sécher moi-même en arrivant ici.

– « Sauge dans le jardin, plus besoin de médecin », s'amuse notre invité. Aurais-tu décidé de me faire concurrence ?

Bobine nous adresse un regard triomphant, tombe sur ses genoux et fourrage parmi ses feuilles. L'eau bout. Près de quinze minutes se sont écoulées.

– Avez-vous des nouvelles de Violaine ? commence Zabelle d'un ton prudent.

Le docteur Fleury secoue négativement la tête.

– Vous aviez des questions à me poser ? demande-t-il après s'être éclairci la gorge.

– C'est qu'il nous arrive une drôle d'histoire... Figurez-vous que sa chambre a été visitée.

– Sa chambre ? La chambre de Violaine ?

Ce sursaut, ce cri, ne peuvent avoir été joués, ni le visage qui se décompose. Bien que le père de Violaine ait été le seul à posséder la clé du verrou, ce n'est définitivement pas lui notre « visiteur ». Et, sur les traits de mes amies, je lis la même déception que la mienne. « Il nous dira tout », assurait Zabelle.

Raté.

Pour la soulager, je prends le relais.

– Vous n'avez aucune idée de qui cela pourrait être ?

À nouveau, il se contente d'un « non » de la tête.

– C'est qu'on a trouvé des drôles de trucs dans la commode de Violaine, des trucs qui nous font très peur, s'enhardit Bobine.

– Trois tiroirs pleins, la relaie Zabelle. Docteur, vous êtes le seul à pouvoir nous en expliquer la présence. Qui s'en servait ? Dans quel but ?

Le regard au loin, le regard perdu, Fleury tourne machinalement la cuillère dans la tasse où l'infusion vient d'être versée par Bobine. Montent des odeurs d'herbe sauvage, de cueillette au petit matin, de bords de Loire. Sur le pouce du médecin, un peu de bleu d'Espagne est resté et ce détail me fend le cœur.

– Gildas, je vous en prie, insiste Zabelle. Il nous avait semblé que vous étiez heureux que nous reprenions Cybèle. Nous voudrions tant pouvoir y rester !

6.

Gildas... Jamais encore elle ne l'avait appelé par son prénom.

C'est qu'aujourd'hui le maître est K-O et c'est la disciple qui lui tend la main.

Comme il continue de se taire, elle ajoute d'une voix plus basse :

– Jocelyn nous a dit pour la Capitaine. Sachez que nous avons beaucoup de peine.

La cuillère tinte sur la soucoupe. Le docteur Fleury ferme un instant les yeux. Lorsqu'il les rouvre, ils sont noyés de larmes. Et quand il parle, on dirait que chaque mot lui déchire le cœur.

– Violaine était fiancée à cet avocat, Peter... Peter Keating. Un très gentil garçon. Elle avait décidé, sitôt mariée, d'aller vivre à Sydney. Cela rendait Bertille folle.

Il s'interrompt quelques secondes, avale sa salive avec difficulté : « Elle a fait appel à un envoûteur pour empêcher le mariage. »

Bobine plaque la main sur sa bouche pour étouffer un cri; c'est une chose que de se douter et une autre que d'avoir confirmation.

– Cet envoûteur, savez-vous qui il est ? continue Zabelle.

Le docteur Fleury secoue la tête. Un éclair de colère passe dans son regard.

– Je sais seulement que c'était ce Lepape qui le lui avait indiqué. Bertille était tout le temps fourrée chez lui. Il s'imaginait que notre fille était pour lui...

Guy Lepape, encore ! Tel un oiseau noir, le soupçon revient planer au-dessus de nos têtes. Le préparateur ne nous accuse-t-il pas de lui avoir volé Cybèle ?

Zabelle s'est penchée sur notre hôte : leurs visages se touchent presque. Elle demande.

– Violaine se doutait-elle de quelque chose ?

– Pas au début, répond péniblement Fleury. Mais la pauvre petite s'inquiétait : « Dis, papa, qu'est-ce qu'il a, Peter ? On dirait qu'il m'aime moins. » Et moi qui refusais de voir. Ma femme, sa propre mère, vous vous rendez compte ? Il a fallu que Peter rompe, qu'il s'enfuie, pour que j'ouvre les yeux.

Il s'interrompt. Nous ne respirons plus. Nos quatre regards tournés vers lui le supplient de continuer ; il arrive que le courage de parler conduise au soulagement.

– Cette nuit-là, reprend-il d'une voix sourde, au soir de la rupture, il y a eu une scène abominable entre Violaine et sa mère. Elles s'étaient enfermées dans la chambre de Bertille. Si vous aviez entendu ces hurlements. Violaine...

Soudain, venant de sa poche, une mince sonnerie s'échappe, l'interrompant, nous pétrifiant. Vif comme l'éclair, Marcel a déjà les pattes de devant sur les genoux de notre visiteur : « Réponds. »

Non, ne réponds pas.

Un instant, Fleury semble hésiter, puis il repousse le chien, se lève, sort l'appareil, le colle à son oreille, s'éloigne.

À nouveau, ses épaules sont courbées : rappel à l'ordre ?

– Zut alors ! J'avais oublié de lui dire de l'éteindre, tente de plaisanter Zabelle.

Bobine regarde, désolée, la tasse pleine à laquelle il n'a pas touché. À laquelle, nous le savons toutes, il ne touchera plus. D'un geste de défi, elle attrape un sablé et y plante les dents.

Aucune de nous n'a envie de rire.

Le docteur Fleury est arrivé à la baie. Après avoir dit quelques mots à voix basse, il remet le portable dans sa poche. À présent, il chausse ses lunettes, reprend sa canadienne au portemanteau. Oui : rappel à l'ordre.

Le bruit d'un moteur qui remonte sur le chemin nous jette toutes sur nos pieds : il ne peut pas nous quitter comme ça, c'est impossible.

Au clocher, quatre coups sonnent la fin de la « petite heure ».

– Docteur, appelle Brune.

Le premier mot qu'elle prononce depuis son arrivée.

– Docteur, répète-t-elle en s'approchant de lui.

Il se tourne vers cette voix profonde, impérieuse, qui ne lui est pas familière.

– Je vous dois un aveu, dit-elle. Le sort m'a attribué la chambre de votre épouse. Permettez-moi de vous poser une simple question : l'incendie qui l'a détruite, c'est bien le soir de la dispute qu'il a éclaté ?

Zabelle et moi échangeons un regard effaré : qu'a senti la petite-fille de marabout sous la peinture neuve des murs de notre Capitaine ? Elle ne nous avait parlé de rien.

– S'il vous plaît...

Les yeux sombres de Brune vont chercher les yeux cachés derrière les verres fumés. Et voici que, très lentement, la main du médecin monte, retire les lunettes comme on offre son âme : « Yeux miroirs de l'âme. » Un instant, je sens passer entre eux ce même courant qu'entre Brune et Joson lorsqu'elle avait été l'interroger sur la dagyde, et un frisson identique me parcourt.

Le sang fort ! Ce que l'on dit de ceux qui savent capter l'énergie.

– Violaine a exigé des aveux de sa mère, répond le docteur Fleury d'une voix à peine perceptible. Je crois qu'elles se sont battues. Une lampe est tombée. Les tentures, les rideaux... le feu a pris très vite.

À présent, c'est un pas sur la terrasse qui l'arrête. Casquette à la main, un homme frappe au carreau de la baie.

– Quatre heures, monsieur.

Comme tiré d'un songe, le docteur sursaute. Il articule un faible : « Je viens. »

Le chauffeur de taxi s'éloigne.

Le père de Violaine passe la main sur son front. Puis son regard s'arrête sur chacune d'entre nous.

– Pardon..., murmure-t-il.

Il remet ses lunettes. Nous le suivons à l'extérieur. Le vent rebrousse ses fins cheveux blancs, révèle un visage détruit de très vieux monsieur. Je voudrais pouvoir le prendre dans mes bras, le bercer comme un enfant.

Et il y a ce cri de Zabelle.

– Pouvons-nous au moins vider la chambre de Violaine ?

Alors il se retourne vers la maison, son regard monte jusqu'aux volets scellés par le lierre, et il répond.

– Faites ce que vous voudrez. De toute façon, Violaine ne reviendra plus. Elle est morte.

7.

Bobine a poussé un cri, elle est rentrée en courant dans la maison, la porte de sa chambre a claqué.

Nous sommes restées pétrifiées.

Morte, Violaine ?

Lorsque le taxi est passé sur le pont, aucune de nous n'avait encore prononcé un mot.

Plus jamais, notre déesse ?

Lèvres serrées, yeux pleins de larmes, Zabelle fixait l'église Saint-Denis, notre saint décapité. Brune a passé le bras autour de mes épaules. Son chagrin à elle était pour nous ; elle n'avait pas partagé nos rires, nos fêtes, nos rêves.

Cette nausée en moi, cette impression d'être entraînée trop vite sur une route en lacet, au bord d'un précipice, je ne l'avais jamais ressentie. Finalement, j'allais droit mon bonhomme de chemin.

« Le vent s'est levé. Il faut tenter de vivre. »

Cette phrase de Paul Valéry me semblait soudain faite pour nous.

Le vent dans nos vies.

– Rentrons ! a ordonné Brune.

Nous l'avons suivie docilement.

Morte, Violaine ?

Il me semblait l'avoir toujours su.

Le médecin aux yeux si tristes qui nous avait vendu Cybèle, ses silences lorsque nous l'interrogions sur sa fille, le suicide de la Capitaine... Bien sûr !

« Je vous demande pardon. »

Pardon de nous avoir caché la vérité pour que ce soit nous qui achetions la maison et non Guy Lepape, l'amoureux déçu de Violaine, celui qui avait présenté l'envoûteur à Bertille.

Bien sûr que nous ne l'aurions pas achetée si nous avions connu la vérité, la mort tragique de notre amie et de sa mère. N'espérions-nous pas qu'un jour Violaine occuperait à nouveau sa chambre ?

« Bertille a fait appel à un envoûteur. »

Mot moins brutal que sorcier mais qui signifiait la même chose : le recours au mal afin d'attirer le malheur sur la tête de l'adversaire, de le détruire, de l'éliminer.

Morte, Violaine ?

Mais quand ? Mais comment ? Mais où ?

S'était-elle suicidée elle aussi après le départ de son Australien en découvrant que sa mère en était la cause ?

Zabelle a disparu quelques secondes dans son fumoir. Elle en est revenue, un cigare planté entre ses lèvres, nous regardant d'un air de défi. Qu'elle fume autant qu'elle voulait, alors là, on s'en foutait.

– Il me semble qu'il est grand temps d'aller faire une visite à Jocelyn, a-t-elle aboyé.

Elle a enflammé une allumette et l'a promenée sous le nez de Brune avant d'allumer son cigare.

– Si ma mémoire est bonne, il avait proposé de tout brûler, et toi tu avais réclamé d'en savoir plus. Ça te va comme ça ? Satisfaite ?

– Pas précisément satisfaite mais, pour Jocelyn, ça me va, a répondu Brune d'une voix calme.

Il y a quelques semaines, ce simple prénom suffisait à hérisser le poil de notre Yankee. Depuis qu'ils s'étaient associés pour porter secours à Zabelle, la donne avait changé. Et c'est moi qui ai protesté.

– Attendez ! Vous ne trouvez pas qu'on en a eu assez comme ça pour la journée ? On ne pourrait pas souffler un peu ?

– C'est ça, souffle ! m'a agressée Zabelle. Souffle fort. Et après, tu pourras remettre ça là-haut pour chasser les mauvais esprits. Tu pourras aussi demander à Bobine de t'aider, je suis sûre qu'elle sera partante.

Bobine est apparue en haut de l'escalier : tenue n° 3, pull-cuirasse et épaules rentrées, lunettes noires pour cacher ses larmes et non son bonheur. Misérable.

Elle a descendu les marches une à une avant de s'immobiliser sur la dernière.

– Mais si on va chercher Jocelyn et qu'on lui demande de tout brûler, il faudra bien lui dire pourquoi. Lui dire... que Violaine est morte.

Morte, Violaine ?

– Tu vois, Bobinette, ça, je parie qu'il le sait déjà, a répondu Brune.

8.

Le 4 x 4 de Jocelyn était garé devant la barrière de sa maison de pierre chaulée, en haut de la colline Saint-Denis, quartier de la vertu.

Brune a arrêté le sien derrière et nous sommes descendues.

Elle avait emmené Marcel. Tout comme elle l'avait emmené chez Joson, le rebouteux, après la découverte de la poupée martyrisée dans notre barque. Et aussi à l'hôpital, après l'accident de Zabelle, où il l'attendait dans sa voiture le temps qu'il fallait, ses bons yeux attachés au mot URGENCES. Le nécessaire soutien d'un compagnon dans les moments difficiles.

Cela me l'a rendue plus proche.

Moi, dans les moments difficiles, j'ai un peu trop tendance à me cacher sous la couette.

Bobine à piailler.

Zabelle à serrer les dents.

Nous sommes entrées dans le jardin.

Je me souvenais de ces rocailles entre lesquelles se serraient des cactées diverses. Avec le printemps, elles affichaient des couleurs provocantes, à l'aspect vénéneux, comme certains poissons pour se défendre des prédateurs. Ici, le seul prédateur était le vent. Il dévorait tout ce qui tentait de pousser.

Brune nous a nommé une à une les plantes grasses.

L'agave, le yucca, le figuier de Barbarie : fleurs jaunes.

Le cactus-tonneau, cramoisi.

Le cierge géant, hérissé d'épines rouges.

Les dents-de-lion, orange.

Et comme ce bref moment était « de la souffrance qui se repose », avant de nouvelles douleurs, nous l'avons écoutée religieusement : paroles de désenvoûtement ?

Nous n'avions pas averti Jocelyn de notre visite afin de ne lui laisser aucune chance de se dérober. Avec un bref aboiement, Marcel le héros a reculé.

Sur le perron, entre les jambes de notre ami, se hérissait Atys, son chat roux à l'épaisse collerette plus pâle, comme la « fraise » du seigneur qu'il était.

– Calme, a ordonné Brune à son chien.

– Il ne lui fera pas de mal, l'a rassurée Jocelyn.

Dans les yeux vert-bleu de notre ami, on ne lisait ni reproche ni même étonnement, seulement une grise résignation.

« Il sait », avait dit Brune.

Il s'est effacé pour nous laisser entrer.

– C'est en haut.

Lorsque Bobine et moi étions venues, par une glaciale soirée de décembre, il nous avait appris le suicide de la Capitaine. Nous apprendrait-il aujourd'hui celui de Violaine ?

Morte, Violaine ?

Une tornade semblait avoir balayé le salon si parfaitement rangé ce soir-là. Le beau parquet ciré était jonché de papiers, cassettes, tasses et verres sales. Dans la bibliothèque, les livres étaient en désordre. Bobine m'a effleuré le bras : la photo de Violaine ne se trouvait plus sur l'étagère.

Restait la collection de pierres polies de la grand-mère dont le portrait sévère ornait la cheminée : pierres de lune bleutées, violettes améthystes, sombre aventurine, jaspe...

Jaspe porte-bonheur comme celui trouvé à la Chaloupe la veille de Noël et dont je n'avais jamais douté de la provenance.

– Tu vois, un coup de blanc ne nous ferait pas de mal, a déclaré Zabelle.

Je suis allée à l'une des trois fenêtres, toutes ouvertes, par où entrait le vent. En décembre, on pouvait voir la maison. Brièvement, j'avais cru y distinguer une lumière. Mais non, j'avais sûrement rêvé...

On en fait des efforts pour se boucher les yeux.

Aujourd'hui, les feuillages nouveaux nous dissimulaient la Chaloupe, n'apparaissait qu'un morceau de toit rouge. Soudain, je l'ai vu en flammes du côté de la chambre de la Capitaine, j'ai vite rejoint mes amies.

– Qu'est-ce que tu foutais ? a grommelé Bobine en me faisant signe de m'asseoir près d'elle sur le canapé. Si tu crois que c'est le moment de se séparer !

Tout en caressant Marcel, hypnotisé par Atys, à l'affût dans son panier, Brune promenait dans la pièce un regard inquisiteur. Oublierais-je jamais le bref échange entre elle et le docteur Fleury ?

Debout près de la cheminée sans feu, sous le tableau de la grand-mère au chapelet dont, autrefois, elle appréciait l'hospitalité, Zabelle suivait des yeux Jocelyn qui revenait de la cuisine avec une bouteille de vin blanc au long col recouvert de buée.

Les verres étaient déjà sur la table. Il les a remplis un à un, très lentement, comme s'il cherchait à retenir le temps.

– Tu ne nous demandes pas pourquoi nous sommes là ? l'a interrogé Zabelle.

Il n'a pas répondu.

Lorsque tout le monde a été servi, elle a pris son verre et d'un geste brusque l'a levé sous son nez.

– À la vérité !

Jocelyn n'a toujours pas bronché. Elle a avalé une gorgée. Aucune de nous ne l'a suivie.

– Le docteur Fleury sort de chez nous. Nous savons tout, a-t-elle repris avec le même ton de défi. Peter Keating, Bertille et l'envoûteur, l'incendie...

Elle s'est interrompue. Mon cœur s'est mis à battre à toute volée. Allait-elle oser ? Elle a osé.

– Il nous a dit également pour Violaine.

Le cri qu'a retenu Jocelyn a explosé en moi. Il nous a tourné le dos et il a fui le plus loin possible, jusqu'à la bibliothèque... où la photo de Violaine ne se trouvait plus.

Si cruelle, Zabelle !

Sans le quitter des yeux, elle a bu une seconde gorgée.

– Pourquoi ne nous as-tu rien dit, Jocelyn ? On croyait que tu étais notre ami ?

Bobine a étouffé un gémissement. Le regard de Brune, très droite sur sa chaise paillée, ne reflétait rien. Aucune de nous trois n'avait encore touché à son verre ; cela aurait été boire à la torture.

Jocelyn s'est retourné. Il était livide. Dans son dos, les livres formaient comme une muraille protectrice, rappelant que tous les cris avaient été déjà poussés, toutes les souffrances vécues. Mais il est des moments de grande solitude où toute l'expérience du monde ne vous est d'aucun secours.

– Je ne voulais pas laisser Cybèle à Lepape, a-t-il fini par dire. Et je n'avais pas les moyens de la racheter.

– Comme pour la table de billard ? a lancé violemment Zabelle. Et maintenant, ce qu'on voudrait savoir, c'est ce que tu nous caches encore : par exemple le nom de l'envoûteur auquel s'était adressée Bertille. Pendant que tu y es, tu pourras peut-être aussi nous donner celui de l'aimable zombi qui cherche à nous vider de la Chaloupe en se servant des mêmes objets que pour Keating. En ce qui me concerne, si tu as une idée à propos de la salope qui se balade chez nous en y répandant son parfum et qui a bien failli m'envoyer dans la Loire, ça m'arrangerait de la rencontrer. J'aurais deux mots à lui dire.

Elle s'est interrompue. Il y avait eu dans sa voix autant de colère que de peur. Bobine s'est serrée plus fort contre moi. À présent, le visage de Jocelyn était comme un masque. Qu'allait-il répondre ?

Parce que, après la découverte de la dagyde dans notre barque, il s'était bel et bien sauvé. Comme s'il savait d'où elle venait...

De même après l'accident de Zabelle. Comme s'il avait compris qui l'avait provoqué...

Il a relevé le menton.

– J'ignore le nom de l'envoûteur. Je sais seulement que Bertille allait souvent à Nantes les derniers temps. Je ne vois pas qui pourrait vous vouloir du mal. Et je n'ai jamais vu cette femme que vous appelez la « femme en noir ». Je ne peux rien vous dire de plus.

– Et nous, on ne te croit pas une seconde, a crié Zabelle.

Il y a eu un lourd silence. Puis c'est Bobine qui a explosé.

– Quand est-ce que tout ça va s'arrêter ? a-t-elle crié d'une voix hystérique. Et qu'est-ce qu'il a le docteur Fleury ? Est-ce qu'il va mourir lui aussi ? Comme Violaine ?

– Le docteur Fleury suit un traitement à l'hôpital, a répondu Jocelyn d'une voix éteinte.

Brune a posé sa première question.

– Peut-on savoir lequel ?

– L'Hôtel-Dieu. Pas le tien, celui de Rennes.

– Un traitement pour quoi ? a attaqué à nouveau Zabelle.

Jocelyn a serré les poings. J'ai revu l'adolescent douloureux auquel le docteur Fleury tentait de rendre confiance.

« L'homme qui a souffert et s'est relevé est plus apte à aider ses frères à se remettre debout. Toi, tu sauras, fils. »

Fils.

Il lui arrivait d'appeler ainsi celui dont nous savions que son père le battait.

– Le docteur Fleury a un cancer, a-t-il articulé avec souffrance.

– Cancer de quoi ? a insisté Zabelle.

Et cette fois c'est moi qui craque.

9.

Je me lève et je crie : « Arrête, Zabelle. Ça suffit comme ça. »

Sommes-nous venues pour juger Jocelyn ? Le clouer au pilori ? Si l'amitié c'est ça, non merci.

Je vais à lui et prends sa main.

– On est tellement tristes, Jocelyn. Tellement tristes pour Violaine et pour toi.

Les yeux verts se noient, le visage se défait, il m'ouvre ses bras, j'y tombe. Dans sa poitrine se bousculent les sanglots et les cris.

– On t'aime, Jocelyn. On t'aime.

Près de la cheminée, des reniflements. Il est bien temps. Je les déteste.

Et soudain...

– Mais regardez-les !

Le cri de Brune, un cri joyeux, incrédule, et le spectacle que son doigt désigne brisent net la tension, nous tirent du cauchemar. Magie...

À l'autre bout de la pièce monte un sourd grondement de tambour suivi de gémissements. Atys et Marcel se font face.

Atys dans son panier, menton appuyé sur le rebord de tissu, regard de feu.

Le tambour, c'est lui.

Les sons suppliants, c'est Marcel à plat ventre.

Entre les deux, le jouet préféré de notre débardeur, l'un de ces animaux en caoutchouc qui couinent lorsqu'on les tourmente : une souris avec une longue queue.

– Pas touche, menace Atys.

– S'il te plaît... *please*..., supplie Marcel qui, dans les grandes occasions, emploie l'anglais comme sa maîtresse.

Jocelyn et moi nous sommes séparés. Il tend un doigt impérieux vers son chat.

– On prête !

Atys tourne les yeux vers lui et baisse une seconde les paupières, comme seuls savent le faire les félins pour signifier leur dédain devant un ordre injuste.

Puis nonchalamment, il quitte son panier, s'approche de la souris et, du bout de la patte, la fait rouler vers Marcel.

Un frémissement court le long de l'échine du débardeur. Sans quitter Atys du regard, il effectue quelques centimètres de plus sur le ventre.

« Vraiment ? Je peux ? »

Avec un bref miaulement de mépris, le chat lui tourne le dos et rejoint son maître qui le soulève dans ses bras.

– C'est bien !

La souris couine.

– Seigneur, ce n'est pas un chien que j'aime, c'est une carpette, s'exclame Brune, les yeux écarquillés.

Jocelyn est revenu vers nous, son chat contre lui. Il a un rire.

– Marcel n'a fait que s'incliner devant un dieu. Aurais-tu oublié que ceux-ci aiment à se réincarner ?

Conscient que l'on parle de lui, Atys, dieu de la végétation, se laisse couler le long de son maître et passe dans le coin-cuisine où, d'une patte autoritaire, il gratte la porte du réfrigérateur.

Au tour de Zabelle de rire. Enfin !

– Ton dieu serait-il gourmand ?

Jocelyn désigne Marcel qui se livre à un ballet endiablé avec la souris.

– Les dieux aiment à être récompensés pour leur mansuétude.

« Mansuétude », le mot n'avait pas été choisi au hasard. Il voulait dire : « indulgence ».

C'est ainsi que, grâce à l'intervention d'un dieu réincarné et d'un modeste quadrupède, s'est conclu le cruel affrontement entre deux douleurs, deux peurs.

Merci à toi, Brune la magicienne.

Jocelyn a sorti du réfrigérateur un morceau de saumon qu'il a réparti entre deux gamelles. La souris a cesser de couiner. Marcel a attendu qu'Atys ait donné le départ pour se jeter sur le festin.

– Vous n'avez pas faim, vous ? a demandé Bobine.

Il est vrai que nous n'avions guère déjeuné.

Simples mortels, nous avons eu droit à jambon cru et cuit, tomates « cœur-de-bœuf », variété pure et sans pépins, fromage de chèvre, beurre salé et miche à croûte dorée.

Pas de la première fraîcheur, la miche, mais le mot « compagnon » ne voulait-il pas dire le partage du pain ?

Plus tard – la nuit était tombée, le vent l'avait suivie – Mauves dormait sous la protection de l'épée flamboyante de saint Denis, Zabelle a sorti de son sac les clés de la Chaloupe et les a tendues à Jocelyn.

– Le docteur Fleury nous a autorisées à vider la chambre de Violaine. Nous ne nous en sentons pas le courage, accepterais-tu de t'en charger ?

– Bien sûr, a répondu celui-ci sans hésiter.

Il a pris les clés et il a ajouté en regardant Zabelle droit dans les yeux, mais ses paroles valaient aussi pour nous.

– Je voudrais que vous sachiez que je ferai tout pour vous aider.

Brune a désigné la jambe récemment blessée de notre d'Artagnan.

– On a vu.

– Nous ne reviendrons que la chambre vidée, fais vite, a repris Zabelle.

– Dois-je aussi enlever les meubles ?

– Tout ! Tu enlèves tout : meubles, rideaux, tapis, objets. Si tu veux garder quelque chose, tu te sers.

Il a incliné la tête.

– Le talisman... peut-être.

– Mais avec les meubles, ça va être un vrai déménagement, jamais tu n'y arriveras tout seul, me suis-je inquiétée.

Il m'a souri.

– Joson acceptera sûrement de me prêter main-forte.

Main-forte... sang fort...

– Et pour les trucs-machins dans le tiroir, qu'est-ce que tu feras ? a demandé Bobine d'une voix faussement légère. Tu ne vas quand même pas les jeter à la poubelle.

– Je ferai comme il se doit, a répondu Jocelyn. Le feu, l'eau, la terre, l'air.

Il a désigné le portrait de sa grand-mère, les doigts noueux où s'entremêlaient les grains de buis d'un chapelet.

– La prière...

10.

Le Toi & Moi vient de s'ouvrir à Nantes, tout près du parc de Procé.

Procé... Procès ? Oublie, Bobine !

Un bar de *speed-dating*, traduction : « Rencontre express », dans une rue peu éclairée la nuit. Tout le monde n'a pas envie de crier sur les toits, même ceux des beaux quartiers : « SOS, je cherche. »

Sept gars, sept filles et sept minutes pour trouver l'âme sœur. Bien obligés d'aller à l'essentiel : métier, salaire, goûts, désir ou non d'enfants. Le temps écoulé, changement de partenaire jusqu'à épuisement des candidats.

En fin de course, le verdict. Si tu as écrit deux fois sur ta fiche le numéro de ton favori et qu'il a fait de même pour toi, gagné. Vous avez droit aux coordonnées perso, à vous de jouer.

Coût de l'opération : cinquante euros, philtre d'amour (la boisson) inclus. Pas donné mais si au bout du compte tu repars avec l'homme de ta vie, c'est qualité-prix. Et pas d'arnaque : à l'inscription, tu t'engages sur l'honneur à n'être pas déjà marié(e).

Sans oublier que le 7 est un chiffre magique, voir le « Septième Ciel » de Zabelle où elle attrape tous les mâles qui passent.

Afin de mettre le maximum de chances de son côté, Bobine avait commencé par suivre une cession de cours de séduction au Rose et Bleu, deux cents euros par semaine, week-end non compris. Là, on lui avait appris à se présenter : ni sirène ni plan-plan, sourire plutôt que rire, écouter plutôt que parler, et mettre de l'étincelle dans son regard.

Deux règles d'or : ne jamais pleurer, les larmes épouvantent les hommes et font couler le mascara, et offrir au partenaire (masculin) son mets préféré : l'AD-MI-RA-TION.

S'il n'y a rien à admirer, tu brodes. Au pis, tu lui murmures à l'oreille : « Ce que je préfère en vous, c'est la façon dont vous cachez si bien vos qualités. » À lui de trouver s'il en a.

Pauvre papa, du côté admiration, il n'aurait pas été servi avec Edwige. Elle, c'était plutôt : RÉ-CRI-MI-NA-TION.

À l'époque, les cours de séduction ne devaient pas exister.

Il ne fallait pas croire que Bobine n'avait pas éprouvé un pincement au cœur lorsqu'elle s'était lancée dans les circuits marchands du cœur. N'était-il pas monstrueusement égoïste de penser si fort à sa petite personne lorsqu'à la Chaloupe c'était le désastre intégral (docteur Fleury, Violaine, Bertille, Jocelyn) ? Mais la voix de la raison lui soufflait que, si un jour elle était condamnée à vendre sa part, il lui faudrait une branche à laquelle se raccrocher, même deux : les bras d'un homme. Pour remplacer les six de ses chères amies.

– Et n'est-ce pas toi, Julie, qui n'arrêtes pas de me répéter que, pour être capable de pleurer sur autrui, il faut déjà avoir arrêté de sangloter sur soi-même ?...

Quand, avec un regard qui n'avait rien à envier à celui de Marcel sur la souris d'Atys, Bobine m'a demandé si j'accepterais de l'accompagner à son *speed-dating*, je n'ai pas eu le cœur de refuser.

– Tu comprends, mettons que ça foire, que personne ne vote pour moi, au moins je saurai que quelqu'un m'attend à l'extérieur. Même si ce n'est que toi. Et si ça marche, je t'invite à la crêperie, avait-elle ajouté en un élan de générosité.

– Je suppose que, si ça foire, ce ne sera QUE moi qui t'inviterai à dîner pour te consoler? ai-je répondu en riant.

Tenue n° 2, maquillage discret, coiffure à la Jeanne d'Arc montant sur le bûcher, remplaçant l'habituelle queue-de-rat chinoise, la candidate à l'âme sœur vient de disparaître dans les entrailles du Toi & Moi.

Nous sommes vendredi. Déjà presque une semaine que nous avons appris la mort de Violaine. J'ai toujours du mal à prononcer le mot. Jocelyn a-t-il commencé à vider la chambre?

Il est sept heures, les lumières viennent de s'allumer sur l'avenue où, en cette veille de week-end, les voitures passent plus nombreuses.

Assise sur un banc près des grilles du parc de mon enfance d'où je peux surveiller la porte du bar, je m'interroge.

Aurais-je envie de m'inscrire à un *speed-dating*?

Certainement pas.

Sourire, mettre de l'étincelle dans son regard, surtout ne pas pleurer... Tricher, en somme. Ah, comme je l'imagine, ma Bobine, à cette minute précise, jouant les détachées alors qu'en elle la solitude tambourine. Je la vois, larmes à fleur de paupière – mais gare au mascara –, babillant, retenant en elle les seuls mots qu'elle voudrait dire, crier, ceux pour lesquels elle est là : je n'en peux plus de ne sortir chaque jour qu'un seul bol du placard, une seule assiette, un seul verre, de n'avoir personne avec qui partager le pain, les projets, les buts. Et bâtir, et fonder.

Une femme passe devant mon banc. D'une main, elle tire un enfant, de l'autre, un caddy d'où dépassent deux baguettes. Deux ! on doit être nombreux à la maison.

– Allez... dépêche-toi, on va être en retard, papa ne sera pas content.

Je les suis des yeux.

Moi, j'ai Julian. J'ai Julian. J'ai Julian.

Achèterai-je un jour DEUX baguettes sur le chemin de notre maison ?

Où en est mon « vagabond » avec sa femme, avec Manon, leur petite fille ?

« Il y a des romans de gare qui finissent bien ».

Et des trains qui mènent à des voies sans issue.

Moi, j'ai une famille que j'aime et qui m'aime, une mère qui toujours m'accompagne ou vient me chercher à la gare, un père attentif dont le cabinet de chirurgien-dentiste se trouve à quelques pas d'ici, un grand frère exigeant et taquin, une adorable petite sœur.

Et ce parc, combien de fois l'ai-je traversé avec eux ? Je parlais aux statues, nous les connaissions toutes.

Je me retourne pour les regarder, au centre des pelouses. Drapées de blanc, dans la nuit qui tombe, elles ont l'air de fantômes.

C'était bien sûr les plus dénudées vers lesquelles allait mon frère, celles aux seins nus. Ma préférée se cachait sous une peau de bête. Je l'avais surnommée « Peau d'Âne ». Les contes de fées, déjà ?

– Alors, tu ne me demandes même pas comment ça s'est passé ? râle Bobine en s'affalant sur le banc.

Je l'avais complètement oubliée !

– Bien sûr que si ! Raconte...

– Ben d'abord, toutes les autres filles étaient dix fois plus belles que moi, même celles qui l'étaient pas. En plus, elles montraient tout, c'est nul, les cours de séduction, de l'argent foutu en l'air. Les garçons ? Des rognures, on comprend qu'ils trouvent pas. Même avec le philtre d'amour – du jus de limace au rhum – ils passaient pas. Le numéro un, un gros déplumé qui ne devait jamais bouger de son canapé que pour aller chercher son bol de pop-corn, n'a parlé que de foot et quand j'ai dit que Zidane était gardien de but, oh ! là, là, ça a été ma fin, tant mieux, j'ai rien perdu. Le 2, je sais même plus. Le 3 a eu le culot de me demander si le bas était à la hauteur du haut, j'espère que tu vois de quoi je parle. Le 4, un Mickey. Le 5, tiens-toi bien, il a pleuré, les hommes ont le droit, pas de mascara. Le seul qui me plaisait, le 6, a pas voté pour moi. J'ai même pas regardé le dernier, je pensais qu'à lui. Pas question que j'y retourne. Je commence à me demander si c'était la peine de passer sur le billard. Et dire que tout ça c'est la faute de maman. En tout cas, pas un mot aux autres, je compte sur toi. Où est-ce qu'on va dîner ?

11.

J'aime fureter chez ma libraire, cueillir à la racine la première phrase d'un livre pour en humer l'odeur, piocher des mots au hasard des pages et voir si la musique s'y trouve, la vie. Et préserver le suspense en ne commençant pas, comme certaines, par la fin...

Josiane Neveu est une fidèle de mon émission. Alors que je flânais dans ses rayons, elle m'a fourni mon invité de mardi dernier : un collectionneur. Passionné comme tous ceux de son espèce.

Romain Desvignes habite l'appartement voisin du sien. Elle assure qu'il est en train de la rendre folle avec sa collection. Employé d'assurance, célibataire, le monsieur occupe tout son temps libre à enregistrer... les rires de ses contemporains. Il en fait des compilations, des pots-pourris, des assemblages savants. Et même lorsqu'elle ne les entend plus, ma pauvre libraire affirme que ceux-ci la poursuivent.

– Vous devriez aller écouter ça et me dire ce que vous en pensez, m'avait-elle suggéré. Sans compter que ça pourrait vous intéresser pour votre émission.

Romain Desvignes était un petit homme gris au visage grave, un typique Monsieur Tout le Monde sur lequel nul n'aurait eu l'idée de se retourner. Il avait accepté volontiers de me recevoir et s'était déclaré désolé de la gêne qu'il occasionnait à sa voisine, affirmant mettre le son au minimum dès qu'il l'entendait rentrer.

– Mais voilà, c'est justement le propre du rire que de s'insinuer partout et de rester dans l'atmosphère même une fois éteint, avait-il ajouté d'un ton mystérieux.

Devant un verre de porto, il m'avait raconté comment sa passion lui était venue : une simple phrase saisie au vol durant son enfance catholique.

« Nul n'a jamais entendu rire le Christ. »

Le rire était-il donc répréhensible ?

– Dans ma boîte, on pratique systématiquement l'analyse de l'écriture avant l'embauche, m'avait-il confié. L'expérience m'a fait découvrir que celle du rire était bien plus révélatrice encore.

Et une lointaine parente à lui, connue dans la littérature, madame de Girardin, n'avait-elle pas écrit : « La vérité est dans le rire » ?

Romain Desvignes enregistrait de préférence ceux de personnes célèbres, stars de la politique, du sport ou du show-biz. Il commençait par les classer par genres. Dans la catégorie des spontanés, vous trouviez les irrésistibles, les éclatants, les gros, les explosifs... Dans celle des retenus : les timides, les réservés, les coincés. Il y avait aussi la cohorte des « mauvais » rires, les ironiques, les sardoniques...

Une fois classés, il s'amusait à les mêler, à les inviter à se répondre ou à s'affronter. Il en ressortait des leçons tout à fait étonnantes.

– Mais jugez plutôt par vous-même, mademoiselle Julie.

En effet, écoutant un échantillonnage, j'avais pu constater que toute la gamme des sentiments et des couleurs défilait.

Au début, je m'étais laissé prendre et, tout naturellement, avais ri à l'unisson. Mais, peu à peu, une sorte de gêne, voire de tristesse, m'avait envahie. Observant mon visage, Romain Desvignes n'avait pas caché sa satisfaction.

– Vous voyez... Vous commencez à comprendre.

Comprendre quoi ?

En tout cas le malaise éprouvé par ma libraire. Car, me retrouvant dans la rue, ces rires me poursuivaient. Et davantage comme des cris de détresse, des SOS, que des manifestations de joie.

« Le rire est le propre de l'homme », a écrit Rabelais. Je pensais plutôt à cette définition de l'humour : « La politesse du désespoir. »

Certains rires collectifs sonnaient comme de lourds sanglots.

– Mais, bien sûr, il faut l'inviter ! s'était enthousiasmé Frédéric, mon assistant. Pour une fois, ce sera Radio-Rire...

Lui avait entendu parler d'un kiné qui donnait... des cours de rire. Pour creuser le sujet, nous étions donc allés le voir.

Dominique était un homme athlétique, au visage ouvert et joyeux. Le contraire de mon collectionneur.

Sa théorie était que le rire – le bon, celui qui secoue l'organisme, en évacue les humeurs, y fait revenir l'oxygène – se perdait. Tandis que le « mauvais », le rire aigre, sardonique, fielleux, ne cessait de gagner du terrain et agissait tant sur le corps que sur l'esprit comme du poison.

Si j'étais sortie si mal à l'aise de ma visite à l'assureur, c'était, affirmait-il, que ce dernier mélangeait les deux et que le mauvais l'emporte toujours sur le bon.

Dominique, lui, s'employait à réapprendre à ses patients que le rire doit être l'expression du plaisir et non de la méchanceté, en leur enseignant à le pratiquer à bon escient.

J'avais donc invité Romain à « Bonjour Tout le Monde ». Et Dominique s'était montré un brillant interlocuteur-surprise. L'émission avait suscité de nombreuses réactions positives comme négatives. Dominique avait vu augmenter le nombre de ses patients. Romain avait préféré taire son nom.

Aurais-je fait ce choix hasardeux si je n'avais pas espéré être bientôt engagée à France 3 ? Quitter Denis Brissac, mon désagréable directeur ?

Pas sûr.

Je ne l'avais pas vu depuis ladite émission. Avait-il, lui, ri jaune ?

Côté télévision, les choses progressent. Hélène Lepic, l'assistante de Marini, se charge de mon apprentissage. Vingt-cinq ans, fraîchement diplômée d'une école de journalisme, elle est jolie et décidée. Nous passons beaucoup de temps ensemble et nous entendons bien.

Afin de mieux pouvoir me guider, elle m'a demandé de lui raconter mon expérience à Radio-Sourire. Je lui ai confié mon aventure avec Roseline Chantelle, la poétesse plagiaire. Elle n'a pas paru y attacher d'importance.

Deux changements sont prévus. Quelques spectateurs assisteront à l'émission. Et durant la pause, avant la venue de l'interlocuteur-surprise sur le plateau, plutôt qu'une chanson, on entendra un « témoin », choisi dans l'entourage de mon invité.

J'ai fait la connaissance de l'équipe avec laquelle je travaillerai. À Radio-Sourire, j'ai deux personnes en face de moi dont un ami, Frédéric. Si je suis embauchée à France 3, ce sera plus d'une vingtaine de personnes, allant du chef de plateau à la maquilleuse, en passant par ingénieur du son, cameramen, directeur photo, réalisateur, script et techniciens divers.

Serai-je à la hauteur ? N'ai-je pas fait, une fois de plus, un rêve déraisonnable ?

Certaines personnes, comme Brune et Zabelle, avancent dans la vie sans se poser de questions, convaincues d'avoir choisi la bonne direction et d'atteindre tôt ou tard leur but. D'autres y vont à petits pas et n'aboutissent qu'à force de travail et de ténacité.

Moi, par exemple.

J'aurais tant besoin de toi, Julian, pour me rassurer. Ce rêve, depuis longtemps caressé, comme on dit, n'est-ce pas grâce à tes caresses à toi, tes encouragements, ta confiance, qu'il deviendra peut-être réalité ?

– Allô, Julie Guillemin ?

Tout d'abord, je n'ai pas reconnu la voix, une voix masculine, plaisante, pleine d'entrain.

– C'est moi, oui ?

– Xavier Baupin. Vous vous souvenez ? Notre Lazare a reçu une cassette du sauvetage de son *Vaillant*. Nous sommes conviés à venir la regarder chez lui avec quelques amis, vendredi soir. Dites-moi que vous êtes libre.

« Notre Lazare »... Bien sûr. Xavier, le trésorier de l'association créée par Julian pour permettre au menuisier de sortir son voilier de sa cour et de l'emmener jusqu'à la Loire.

– Ce sera avec joie.

– Merci, Julie. Si vous voulez bien, je passerai vous prendre. Et, après la projection, nous pourrions dîner à Trentemoult. C'est la saison de la civelle. Manquer ça est, paraît-il, un péché. Avec joie aussi ?

– Avec péché de gourmandise.

Nous sommes convenus d'un rendez-vous et j'ai raccroché, le cœur léger. Sourire plutôt que rire, sourire « mieux » que rire. Avec Xavier, nous avions passé de si bons moments sur l'ex-île en remontant le moral de Lazare.

« Bien sûr qu'on va le sauver, votre *Vaillant* ! Avec un nom pareil. »

Et n'était-ce pas à Trentemoult que, le jour du sauvetage, Julian m'avait redonné espoir ?

Vendredi... Après-demain...

Et interdiction, Julie, de penser au week-end qui suivra. À l'autre rendez-vous, celui-là à la Chaloupe où la chambre de Violaine a été vidée.

12.

En quelques semaines, Trentemoult a explosé : une débauche de parfums et de couleurs.

Dans les rues et les jardins rivalisent la glycine, l'azalée, la rose et l'agapanthe ; entre autres... Débordant des murs des maisons de cap-horniers, ce sont les fleurs charnues des tulipiers, camélias, magnolias : plantes exotiques dont le Roi-Soleil encourageait, paraît-il, l'importation.

Bien sûr, Brune ne manquerait pas de nous rappeler qu'à l'époque un autre commerce fleurissait dans notre bonne ville, celui du « bois d'ébène », ses frères africains.

Pardon, la Blackie, mais, ce soir, cette insouciance dans l'air, ces effluves de printemps, le tracé joyeux des oiseaux dans un ciel libéré de l'hiver, ne me parlent que de renouveau. Et il y avait un sacré bout de temps que je n'avais pas éprouvé ce simple plaisir : être là et ne goûter qu'au seul moment présent.

Xavier Baupin est venu me chercher dès cinq heures, quai de la Fosse. Retrouvant le visage rond, le sourire tranquille de l'ami de Julian, ma poitrine s'est allégée.

Sitôt arrivés à Trentemoult, nous avons commencé par réserver une table dans un restaurant donnant sur le port pour y dîner après la projection.

« Pourvu que Lazare n'ait rien prévu. » Nous avons fait ce souhait en même temps et cela nous a fait rire : transmission de pensée gourmande.

Il nous restait une petite demi-heure pour flâner jusqu'à la maison du capitaine, entre les ruelles à histoires et les pierres à souvenirs.

– À propos d'histoires, où en êtes-vous avec France 3 ?

Heureuse que Xavier n'ait pas oublié, je lui ai raconté mon examen de passage en la présence d'Alix Marini et lui ai confié mon anxiété : passerais-je le cap du numéro zéro ?

– Voyons, Julie ! Si vous n'étiez pas anxieuse, c'est cela qui serait mauvais signe. Ne sommes-nous pas tous appelés à refaire nos preuves toute la vie ?

Une réflexion qui a réussi à tranquilliser « l'étudiante ».

Momentanément.

J'ai saisi l'occasion pour lui parler de Julian : comment celui-ci avait-il connu Germain Labauville, le rédacteur en chef de France 3 ?

– Le plus simplement du monde, au cours d'un reportage que la chaîne a fait sur notre boîte. Ils ont tout de suite sympathisé. Vous connaissez notre Julian : curieux de tout !

« Notre » Julian... Xavier était-il au courant de ce qui avait existé entre nous ?

Et existerait peut-être un jour à nouveau...

J'ai préféré en rester là. « Viviane est bien capable d'engager un détective. » Ces mots continuaient à sonner l'alarme dans ma tête.

Sans que je le lui réclame, Xavier m'a parlé de sa famille à lui. « Petit dernier » de trois frères, il était le seul à ne pas vivre à Saint-Brieuc. Chez lui, on l'appelait « l'exilé ». Sa mère, plusieurs fois grand-mère, se désolait de ne pas le voir encore marié. Xavier lui répondait que toute famille qui se respecte disposait d'un oncle gâteau, de préférence fumant la pipe.

Et lorsqu'il a sorti la sienne, nous avons ri ensemble.

Pourquoi « vieux garçon » rendait-il un son moins négatif que « vieille fille » ?

Et pourquoi avait-il fallu que je m'éprenne d'un homme marié, père d'une petite Manon qui m'interdisait de le lui voler ?

Plutôt que d'un Xavier Baupin...

– Les voilà enfin ! s'est exclamé Lazare en nous accueillant dans sa cour.

Hâlé comme un loup de mer, inaugurant une barbe, regard brillant, lui aussi avait explosé avec le printemps.

– Je croyais avoir épousé un menuisier et me revoilà avec un capitaine au long cours ; on ne se voit plus, a remarqué gaiement Yvane en m'embrassant.

– Tant que le capitaine n'a pas une femme dans chaque port, a rétorqué Lazare en faisant jouer des épaules de séducteur.

Et il a eu un rire d'enfant.

Trois autres couples, tous trentemousins, nous attendaient dans le salon. On nous a présentés comme des héros.

– Et Julian, pourquoi ne l'avez-vous pas amené ? a regretté Lazare.

– Vous oubliez qu'il a une famille à Paris. Il faut bien qu'il s'en occupe de temps en temps, a répondu Xavier.

De son sac à dos, il a sorti une bouteille de champagne dans un étui réfrigéré, ce qui a provoqué de nouveaux « bons » rires, et nous avons trinqué.

Lorsque Yvane a posé sur la table un plateau de beignets de crevettes et de crêpes au sarrasin farcies à la rillette, Xavier et moi avons échangé un regard complice : Attention ! Orgie de civelles à huit heures.

– Lazare se passe la cassette tous les jours, il la connaît par cœur, m'a confié Yvane. Nous n'avons qu'un seul regret, Julie. On vous y voit trop peu.

– Mais ce n'était pas moi, la vedette, c'était lui.

– Quand même... sans vous...

– Et sans vous, Yvane ?

La femme de Lazare était venue frapper à la porte de Radio-Sourire pour me raconter, des larmes dans la voix, la souffrance de son homme lorsqu'il avait constaté que le voilier construit de ses mains ne pourrait jamais atteindre la Loire en raison d'une erreur de calcul l'empêchant de sortir de leur rue ; la honte s'ajoutant au désespoir.

J'ai regardé le fier visage du loup de mer et une bouffée d'allégresse m'a emplie. Eh bien oui, Yvane avait raison ! Si je n'avais pas invité Lazare à mon émission, il n'y aurait à cette heure ni rires, ni amis, ni crêpes à la rillette ; rien qu'un vieux menuisier ruminant son rêve perdu.

J'ai eu envie de parler à Yvane de mon aventure France 3. Mais non ! Ce soir, c'était leur fête à eux, pas la mienne. On ne mélange pas les bonheurs.

On ne mélange pas les bonheurs...

Le grand moment est arrivé. Yvane a tiré les voilages sur un indiscret rayon de soleil. Nous nous sommes tous installés devant l'écran. D'une voix lourde d'émotion, Lazare réclame le silence. Il déclenche la cassette.

FRANCE 3 PRÉSENTE

Accompagné du cri des mouettes, on voit d'abord un plan général de l'ex-île. Puis le visage souriant du présentateur apparaît. Ma poitrine se dilate. Bientôt, c'est à ses côtés que l'on me verra sur le plateau de la télévision.

– En ce premier jour de printemps, annonce-t-il, nous allons vous emmener à Trentemoult qui vient de vivre un moment exceptionnel. Regardez...

Le port et ses bateaux, la petite foule massée derrière les barrières de protection, la rue trop étroite de Lazare, le bateau prisonnier...

Tout cela, je m'efforce de le regarder... en professionnelle.

– Un voilier entièrement construit de ses mains par Lazare Soulas, commente le journaliste. Des années de travail, et, au bout, cette merveille.

Applaudissements nourris dans le salon. Lazare se détourne. Suit une brève interview du capitaine en grande tenue. Avec ses mots à lui, d'une voix brouillée, il répond parfaitement. Vous voyez, Alix Marini, comme, même émus, ils savent bien parler mes messieurs Tout le Monde.

À mon tour d'être sur la sellette, racontant au journaliste comment j'ai connu Lazare et décidé de l'inviter à Radio-Sourire.

Pas si mauvaise, ma foi, l'étudiante !

Applaudie à son tour par le salon, Lazare le plus bruyant.

Mais voici les choses sérieuses !

Sur l'écran, le bras de la grue descend lentement vers le voilier, le cueille, l'emporte vers le ciel où il plane parmi les oiseaux.

Dans le salon, le silence est total, les visages tendus comme si l'on craignait que le miracle ne se produise pas, comme s'il n'avait pas déjà eu lieu. Mais n'est-ce pas cela, un miracle ? On n'arrive jamais à y croire tout à fait.

Et déjà le voilier redescend. Cela va trop vite. Chaque seconde était si forte, si lourde d'espoir et de crainte.

Yvane a pris la main de Lazare dont le visage se noie. Et lorsque délicatement le *Vaillant* se pose sur la remorque qui va le conduire au port, aux applaudissements d'hier se mêlent les nôtres d'aujourd'hui.

Plans du cortège qui suit le voilier. Bref arrêt de la caméra sur Zabelle dans son fauteuil roulant, poussée par Brune. Je jubile. Si elle était là, qu'est-ce que je prendrais !

Puis le moment inoubliable où le *Vaillant*, glissant dans l'eau, comme heureux de trouver enfin son élément, s'y ébroue tel un cormoran.

Capitaine à bord.

Discours du maire.

Tandis qu'il parle, la caméra fait le tour du public.

Soudain, une bourrasque m'emporte. Je réprime un cri.

Ai-je bien vu ?

Cela n'a duré que quelques secondes.

Dans la petite foule, au dernier rang, cette haute silhouette aux épaules recouvertes d'un châle sombre, ces longs cheveux bruns, ce visage caché par des lunettes à verres fumés...

Était-ce bien notre « femme en noir » ?

La sueur coule entre mes omoplates. J'étouffe.

Dans le salon, tout le monde se lève et applaudit. Le spectacle est terminé. Yvane va rouvrir les voilages. Xavier est penché sur moi.

– Julie, ça va ?

Je bredouille.

– Xavier, s'il vous plaît, il me faut cette cassette.

– Je m'en occupe, répond-il.

13.

On ne voyait qu'elle, à l'angle de la maison, entre les lanières du lierre arraché, la fenêtre ouverte à deux battants de la chambre de Violaine.

« Ça va, les filles ? Montez vite. »

C'était ainsi qu'elle nous accueillait lorsque le samedi – samedi comme aujourd'hui – nous débarquions, sac au dos, Zabelle, Bobine et moi, pour passer le week-end à Cybèle, le cœur gonflé de cette allégresse intérieure qui s'appelle la « joie de vivre ».

Quinze années plus tard, au printemps dernier, achetant cette maison, n'avions-nous pas espéré la voir y revenir un jour ? « Ça va, Violaine ? Monte vite. »

Zabelle s'est tournée vers Jocelyn. Nous l'avions trouvé sur la terrasse, nous attendant dans un fauteuil de jardin.

– Merci, ami ! Tu avoueras que c'est quand même mieux comme ça, avait-elle crâné.

J'ai senti dans mon sac le poids menaçant de la cassette de France 3. « Merci, amie »... Zabelle me le dirait-elle lorsque je leur aurais passée ?

Lazare avait accepté volontiers de la confier à Xavier qui avait prétendu vouloir en faire une copie pour Julian. Nous étions partis très vite. Seule Yvane semblait avoir remarqué mon malaise ; discrète à son habitude elle n'avait rien dit.

À la terrasse du restaurant, sous les lampes que balançait le vent, la main dans celle de Xavier, encouragée par son regard, aidée par un verre de muscadet, je lui avais tout raconté. De la Violaine de nos seize ans à l'inconnue de la chambre aux sortilèges.

Vie et mort d'une déesse.

Il m'avait écoutée sans m'interrompre, ni mettre une seconde mes paroles en doute. Y avait intérêt ! Sinon, au diable Xavier Baupin...

– Et maintenant, Julie, qu'allez-vous faire ? avait-il demandé, mon récit terminé.

J'avais réussi à rire, un rire qui n'aurait pas été du tout du goût de Dominique le professeur. D'ailleurs, il m'avait brûlé la poitrine.

– La montrer à mes amies. Ça ne peut pas mieux tomber, nous avons rendez-vous demain à la Chaloupe.

– Et si elles y font la même découverte que vous ? avait demandé Xavier avec précaution.

– Alors peut-être bien que nous nous résignerons à vendre. Bobine y est prête, moi, pas loin, Brune n'y a aucun souvenir. Seule Zabelle risque de résister. Elle y a mis tout son cœur, son talent de décoratrice et plein de sous.

– Zabelle-d'Artagnan ?

– Zabelle le panache. Elle voit partout de l'honneur à défendre.

– Nous, c'est l'honneur du patron que nous allons blesser si nous ne réclamons pas nos civelles, avait déclaré Xavier en faisant signe au garçon.

Sitôt commandées, sitôt servies : une colline d'odorantes anguillettes, dont je m'étais obligée à déguster quelques-unes.

– Et Julian ? Que pense-t-il de tout cela ? avait demandé Xavier.

– Julian en est resté au talisman. Vous savez, nous ne nous voyons pas très souvent.

Pourquoi, en moi, cette brusque rancune contre mon « vagabond » ? Mais n'était-ce pas lui qui aurait dû être là ? Sa main qui aurait dû prendre la mienne ? Depuis combien de temps ne m'avait-il pas donné de nouvelles ?

– M'autorisez-vous à lui rapporter ce que vous venez de me confier ? avait demandé Xavier.

J'avais ri à nouveau en montrant les lampions.

– Chez moi, on dit : « hou le rapporteur à quatre chandelles »...

Nous avions quitté le restaurant sans prendre de dessert sous le regard navré du patron. Nous étions si pleins d'appétit en réservant sa table ! Querelle d'amoureux ?

Il était plus d'une heure du matin, il était samedi, lorsque Xavier avait arrêté sa voiture devant la maison. La Loire retenait son souffle.

Il avait insisté pour monter jusqu'à mon studio et, une fois ma porte ouverte, il m'avait remis la cassette.

– Promettez-moi une chose, Julie. Ne la regardez pas toute seule.

J'avais montré mon trou de souris, ma télé miniature.

– Aucun danger, je n'ai pas de magnétoscope.

– Mais il va vous en falloir un d'urgence pour enregistrer vos « Bonjour Tout le Monde » sur France 3 ! avait-il protesté. Sinon, que diront vos petits-enfants ?

L'étau s'était desserré autour de ma poitrine. « Mes petits-enfants »... On peut dire qu'il connaissait les mots pour vous ravigoter, le trésorier de l'association Sauvetage du *Vaillant*. Demain existerait donc ?

Et soudain j'avais eu envie qu'il reste, me prenne dans ses bras. Mais déjà il se penchait sur mes joues, l'une, puis l'autre : « Si vous avez besoin de moi, Julie, frappez à mon carreau. »

Et tandis que ses pas claquaient dans l'escalier : second, premier, rez-de-chaussée, j'avais fondu en larmes en pensant que Bobine serait déjà en train de frapper des deux poings.

– On y va ? a demandé Jocelyn en désignant la chambre de Violaine.

Nous l'avons suivi dans la maison.

Une odeur d'encens flottait partout, au grand dam de Marcel qui courait d'un coin à l'autre, cherchant ses repères, toussotant comme un vieillard pour montrer sa désapprobation.

Nos deux J, Jocelyn-Joson, avaient-ils assorti les fumigations purificatrices des prières appropriées ?

La porte était ouverte au bout du couloir, le verrou avait disparu, dans la chambre, l'odeur de cierge brûlé dominait. C'était là que les prières avaient eu lieu.

Elle avait été totalement vidée, moquette et rideaux inclus. Même le miroir avait disparu du cabinet de toilette où ne restait que le lavabo. Son étroite fenêtre avait, elle aussi, été dégagée.

« Ce n'est pas parce qu'on change le nom d'une maison que l'on efface ce qui s'est passé dans ses murs », avait remarqué le rebouteux. Les murs continuaient à parler à travers les empreintes qu'y avaient laissées les meubles. Là, la tête du lit de

Violaine sur lequel, serrées les unes contre les autres, nous rêvions du prince charmant. Ici, l'armoire-penderie où notre belle rangeait ses atours, imprégnés du parfum Voyage. À droite de la fenêtre, la commode aux objets maléfiques et, un peu partout, les marques plus pâles laissées par les gravures.

Jocelyn a suivi nos regards.

– Si j'avais eu le temps, j'aurais lessivé, a-t-il regretté.

– On va remédier à ça dès cet après-midi, a décidé Zabelle. On déjeune et on s'y met. Il reste de la peinture du salon. À nous cinq, si tu acceptes de participer, ce sera terminé avant la fin du week-end.

– Et quand on aura repeint, qu'est-ce qu'on fera de la chambre ? a demandé Bobine, restée prudemment sur le palier.

– On mettra aux voix. C'est la seule à avoir double vue et cabinet de toilette. Si le cœur t'en dit, Shéhérazade...

Nos cœurs étaient trop serrés pour répondre à Zabelle-le-panache et nous sommes redescendus en silence.

14.

Certains disent que la nostalgie peut être douce : une secrète alliance entre les bons moments passés et la tristesse présente – deuil accompli.

Nous n'en étions pas là.

Déjeunant sur la terrasse d'où l'on pouvait entendre le bruit des maraîchers au travail, dans l'odeur du muguet porte-bonheur, ce n'était que douleur et appréhension qui nous venaient de la chambre aux volets descellés.

« J'irai loin, plus loin... »

Pour que nous puissions faire notre deuil de Violaine, en quelque sorte celui de notre adolescence, il aurait fallu que nous sachions de quelle façon et pour quelle raison elle nous avait faussé compagnie pour aller dans ce pays d'où l'on ne revient pas.

Trop loin.

L'inconnue sur la cassette, au fond du sac posé à mes pieds, détenait-elle le secret de la mort de Violaine ?

Et quand me résoudrais-je à la montrer à mes amies ?

Toute la nuit, me tournant et retournant dans mon lit, je m'étais interrogée. Avant de la leur passer, devrais-je les avertir de ce que j'avais cru y voir, au moins Zabelle, la plus concernée ? Ou était-il préférable de les prendre « à froid » afin de m'assurer qu'elles avaient la même réaction que moi ?

À mon réveil, j'avais composé le numéro de Zabelle. Et raccroché au dernier moment. Je me retrouvais à présent au pied du mur.

Je me suis décidée après le café, lorsque Zabelle s'est levée :

– On se met au boulot ?

– Avant, je voudrais vous montrer quelque chose.

Je m'étais levée moi aussi. Bien que j'aie contrôlé ma voix, le regard de Brune a volé vers moi, scrutateur. Rien ne lui échappait donc, à celle-là ?

– Quelque chose de beau, j'espère, a souhaité Zabelle d'une voix enjouée, en rassemblant les tasses sales sur le plateau.

J'ai sorti la cassette de mon sac.

– Le sauvetage du bateau de Lazare à Trentemoult. Je l'ai vue hier avec quelques amis. Ça ne prendra pas longtemps : au plus un petit quart d'heure.

Ma voix avait à nouveau fléchi.

– Allons, allons, pas de fausse modestie, Juliette, a ri Zabelle en attrapant la cassette et en la posant sur les tasses. On applaudira tous très fort, promis !

– Et il y avait qui comme amis ? s'est enquise Bobine.

Je n'ai pas répondu. Zabelle disparaissait déjà dans la maison en chaloupant des hanches, Jocelyn a posé la main sur mon épaule.

– Merci de me permettre d'en profiter, Julie. Il paraît que j'ai manqué quelque chose de grandiose, a-t-il dit gentiment, attribuant lui aussi mon trouble à la timidité.

Je n'avais pas prévu sa présence. Quelque chose de grandiose... Mes jambes flageolaient en entrant dans le salon.

Bobine était déjà dans son coin habituel de canapé, ma place réservée à son côté. Zabelle a allumé la télévision et glissé la cassette dans le magnétoscope. Une fois encore, le regard de Brune a cherché le mien.

– Je vais prendre un verre d'eau. Commencez, ai-je dit.

Sur l'écran, s'est inscrit « France 3 présente ». Suivie de Marcel, j'ai fui vers le bar. Il me semblait être poursuivie par le temps.

Et déjà la voix du présentateur annonçait : « En ce premier jour de printemps »... J'aurais voulu me boucher les oreilles. Pourquoi ne les avais-je pas avertis ? Bien sûr que c'était la « femme en noir ». En avais-je jamais douté ? Je m'étais prise au piège de ma propre lâcheté.

« Merci, amie »...

Déjà, Lazare racontait son voilier.

Je répondais aux questions du journaliste.

Sur le canapé, on applaudissait.

– Mais qu'est-ce que tu fous, Julie, tu viens ? râlait Bobine.

Ces applaudissements-là, c'étaient ceux de la foule à Trentemoult lorsque la grue déposait le voilier sur la remorque.

Ce cri indigné, celui de Zabelle se découvrant dans son fauteuil roulant.

– Merci, Julie, merci beaucoup. Tu l'as payé combien le cameraman ? Et mon autorisation, je te l'avais donnée ?

Merci, Julie...

Le *Vaillant* s'ébrouait dans l'eau.
Le maire parlait.
La caméra passait sur le public.
Je me suis appuyée au rebord du bar. Maintenant !
La voix de Zabelle a claqué, glaçant mon cœur.
– Brune, peux-tu retourner en arrière, s'il te plaît ? Oui... c'est ça... là. Arrête, maintenant.
Bobine a gémi.
Une éternité de silence.
– Tu peux venir, Julie, c'est bien elle, a dit Zabelle.

15.

Un bruit de verre brisé m'arrache au sommeil, me dresse sur mon lit, le cœur battant.

Nuit noire. Deux heures vingt à mon réveil lumineux.

En bas, plus rien. Silence total.

Sous mon T-shirt, la sueur coule. En quelques secondes, je suis trempée.

Du calme, Julie. Si quelqu'un s'était introduit dans la maison, Marcel aurait aboyé.

À moins qu'on ne l'ait empoisonné...

C'est ça, délire !

Au prix d'un immense effort, j'allume la lampe de chevet, je quitte mon lit et, sur la pointe des pieds, me dirige vers la porte.

À l'instant où je l'ouvre, en face, Bobine pousse la sienne. Me découvrant, elle réprime un cri : elle aussi a été réveillée par le bruit.

C'est éteint dans le couloir et allumé en bas.

Où Zabelle parle.

Vidée par le soulagement, je ferme les yeux et m'oblige à respirer à fond.

Cela sent fort la peinture. Après lessivage, la première couche a été passée : une façon comme une autre de « remonter sur le cheval ».

À la suite d'une sacrée chute.

« Tu peux venir, Julie, c'est elle », avait dit Zabelle.

Sur l'image arrêtée, vue cette fois de face, la responsable de nos tourments : un visage très pâle, en partie caché par les larges lunettes noires et les cheveux épais, une bouche dure, des joues creuses. Certainement pas Violaine. Mais son port de tête, ses larges épaules de Walkyrie.

Plus faciles à copier ?

Zabelle avait posé le doigt sur l'écran, sur elle, et cette fois c'était à Jocelyn qu'elle s'était adressée.

– Tu ne pourras plus dire que tu ne l'avais pas vue. Alors ?

Le visage de notre ami était aussi pâle que celui de l'inconnue. Brune, elle, avait le même regard impératif qu'avec le docteur Fleury : Parle !

– Alors tu... tu as raison, avait-il bégayé. Elle lui ressemble.

– OK, bon début ! Maintenant, tu nous dis qui elle est.

À nouveau, le ton accusateur, impitoyable, de la soirée chez lui.

– Mais... mais j'en ai aucune idée.

– Vraiment ?

Cette fois, Bobine avait craqué avant moi.

– Tu ne vas pas recommencer ? avait-elle crié.

Et elle s'était précipitée sur le poste pour l'éteindre.

Zabelle avait haussé les épaules. Brune avait tranquillement récupéré la cassette.

– Il y a quelqu'un qui pourra peut-être nous renseigner.

Le docteur Fleury ? Avait-elle l'intention de lui passer le film ?

– Peter Keating. Avocat à Sydney et fiancé de Violaine. Avec l'aide de ce cher Google, on ne devrait pas avoir trop de mal à trouver ses coordonnées.

Le « cher Google » a rempli son office. Penchée sur son ordinateur, Zabelle parle. En anglais. Debout derrière elle, Marie-Brune fixe l'écran. Elles portent les mêmes vêtements que la veille. Lorsque nous les avons quittées, Bobine et moi, épuisées, elles étaient déjà en train de pianoter. Elles ne se sont pas couchées.

Au pied de la table basse, dans une petite mare, une carafe brisée. Marcel ronfle sur un vieux chandail de sa maîtresse bien-aimée. Alors que nous nous approchons, Brune met un doigt sur ses lèvres : « Chut ».

Sur l'écran, un homme d'une quarantaine d'années, cheveux roux, yeux clairs, beau visage de Viking. Pas étonnant que notre voyageuse ait été conquise.

C'est à lui de parler. En anglais.

Dans son dos, derrière la vitre d'une baie, le soleil éclaire un ciel uniformément bleu. Il est neuf heures du matin à Sydney; six heures de décalage horaire.

– Il vous connaissait, Violaine lui avait parlé des mousquetaires, nous souffle Brune à l'oreille.

C'est à nouveau à Zabelle.

– Et comment avez-vous compris, Peter ?

– L'impression d'être suivi. À l'hôtel, des objets qui disparaissaient...

– Une chemise rouge, par exemple ?...

– *How do you know ?*

– Nous l'avons retrouvée, répond brièvement Zabelle.

... enveloppant une poupée masculine au cœur et au sexe percés de clous qui le représentait.

– Avez-vous deviné qui agissait ?

Le visage de l'avocat se durcit.

– Bien sûr. La mère de Violaine. *She was disturbed.*

Folle.

Il passe la main sur son front comme pour en chasser un cauchemar.

– Elle ne voulait pas de notre mariage. Le docteur, lui, était OK, mais il n'avait pas son mot à dire. Vous savez, Bertille régentait tout.

– On le savait, oui ! murmure Zabelle.

L'appelait-il la Capitaine ?

– Je vais vous dire une chose terrible, reprend Peter d'une voix sourde. Elle aurait préféré voir sa fille morte que de la laisser partir avec moi. Quand je l'ai compris, j'ai préféré abandonner.

La main glacée de Bobine s'empare de la mienne, la serre. En provoquant le départ de Peter, Bertille n'a-t-elle pas bel et bien tué Violaine ?

– Est-ce que je peux vous poser encore une question, Peter ? demande Zabelle avec effort.

L'avocat acquiesce d'un signe de tête. Sa souffrance est tangible. Violaine ne pouvait être aimée que passionnément ; elle était la passion.

– Avait-elle une amie qui lui ressemblait ? Très grande comme elle, de longs cheveux noirs. Une amie qui... la copiait. Vous savez, cela arrive quand on admire quelqu'un.

Avant les fêtes qu'elle donnait à Cybèle, Violaine s'amusait à nous maquiller. Convoquées tour à tour devant le miroir de son cabinet de toilette, nous nous laissions faire docilement. Ah, si avec ses brosses et ses pinceaux, elle avait pu nous donner un peu de son éclat...

Le menton sur le poing, le regard au loin, Peter réfléchit. Se doute-t-il que c'est pour lui poser cette question que Zabelle l'a appelé ? Que sa réponse est tout simplement vitale pour nous ?

– Je ne vois pas, murmure-t-il. À moins... À moins que Peggy ?

– Peggy ? répète Zabelle le souffle court.

– Sa collègue à l'agence. Très grande elle aussi, mais elle portait les cheveux courts et ils étaient plus clairs.

Peggy...

Zabelle se tourne vers nous, déconcertée. Pas une seconde nous n'avons pensé à chercher du côté de l'agence de voyages à Ancenis. Y aurait-il là un début de piste ?

– Merci, Peter. Vous nous avez rendu un grand service ! murmure-t-elle.

Il sourit tristement.

– Si je peux encore... Dites-moi, Isabelle, qu'est-devenue Violaine ? Je lui ai écrit plusieurs fois, elle ne m'a jamais répondu. Deux ans déjà... Comment va-t-elle ?

Un vent glacé parcourt la pièce, nous pétrifie.

Peter Keating ignore que Violaine est morte. Il lui a écrit. Peut-être garde-t-il l'espoir qu'elle lui reviendra.

Les mains de Brune viennent se poser sur les épaules de Zabelle, livide, dont les lèvres tremblent.

Et, là-bas, les yeux de l'avocat se remplissent d'inquiétude. Il se penche en avant.

– Il lui est arrivé quelque chose ?

Zabelle hésite, puis, à mi-voix :

– *She is dead*, Peter.

– *Oh God, no ! no !*

Bobine fond en larmes et se sauve. Violaine vient de mourir à Sydney. Le visage de l'avocat se défait.

« Le docteur n'avait pas son mot à dire... »

Lorsque Peter a compris le jeu de Bertille, il a abandonné...

Coupable lui aussi ?

Ses yeux se noient.

– Comment est-ce arrivé ? demande-t-il tout bas.

– Nous ne le savons pas. Nous venons seulement de l'apprendre. Pardonnez-nous, Peter. Nous pensions que vous étiez au courant.

Et soudain, comme pour chercher de l'aide, il tend la main vers Zabelle, vers nous. Les sanglots se pressent dans ma poitrine.

Comme il est cruel ce monde où l'on peut se parler, se voir par-delà les océans et le temps mais sans pouvoir se toucher, se sentir, prendre l'autre dans ses bras. Alors, à quoi ça sert, le progrès ?

Sa main retombe, vide. Il respire à fond. Il tente de remonter.

– Et l'*Aventurine*, qu'est-elle devenue ?

– L'*Aventurine* ? répète Zabelle.

Dans la bibliothèque de Jocelyn, parmi la collection de pierres de la grand-mère, l'une porte ce nom. À la lumière, son brun chaud se pare de reflets violets. Violet-Violaine... c'était évidemment sa préférée. Moi, j'aimais la pierre de lune où certaines mauvaises langues prétendaient que je passais ma vie.

La grand-mère nous en avait appris les propriétés. L'aventurine protège des ondes négatives et favorise les entreprises amoureuses.

– Son voilier, sa grande passion, répond Peter. Vous ne l'avez donc pas connu ? Elle cherchait le moyen de le faire venir à Sydney. Elle disait : « Au besoin, je l'y conduirai moi-même. Les vents nous porteront. »

Prononçant ces mots, tout son être a frémi.

C'est bien de notre déesse qu'il parlait.

16.

Trop c'est trop ! Cette fois Bobine n'avait pas supporté.

Ce visage blafard dissimulé derrière les lunettes noires – un visage de film d'horreur. Le malheureux avocat que Zabelle crucifiait en direct ; sans le vouloir, d'accord, mais le résultat était le même. Cette Peggy qui tombait comme une pierre dans le chaudron à sorcière. Sans compter l'*Aventurine*.

Et, comme si ça ne suffisait pas, à peine le jour levé, Zabelle qui convoquait Jocelyn sur l'écran, à la place encore chaude de Peter, et te le descendait à boulets rouges, oubliant une nouvelle fois que lui aussi avait aimé Violaine.

« Tu vas peut-être nous dire que Peggy, tu ne la connaissais pas ? L'*Aventurine*, je suppose que, pour toi, ce n'est qu'une des pierres magiques de ta grand-mère... »

Le pauvre se mettait à bégayer, presque autant qu'avec ses jambes mal fichues : « Je... je n'ai pas jugé utile de vous parler de Peggy. Son... son agence avait été fermée. L'*Aven*... l'*Aventurine* avait été vendue... »

Et le rire méchant de Zabelle : « C'est ça, on te croit ! »

Alors Jocelyn avait eu ce cri déchirant.

« Est-ce que vous imaginez que je ne souffre pas moi aussi ? »

Et il avait coupé.

Ah, comme Bobine les détestait, leurs ordinateurs, leur Internet, leur Google et compagnie, ces robots pilleurs d'énergie, ces pièges, ces fabriques à chimères et après tu te retrouves toute seule dans ton lit, le cerveau en ébullition et le cœur glacé.

Elle s'était levée.

– Cette fois, c'est décidé. Je vends ma part.

– Très bien, Roberte. Nous prenons note, avait répondu Zabelle.

Roberte...

Et rien, aucun appui du côté de Julie ni de celui de Brune.

Alors, la mort dans l'âme, « Roberte » avait fait son sac et, comme personne ne proposait de la raccompagner, elle était rentrée à Nantes à pied, une bonne heure de marche le long de la Loire qu'elle ne pouvait plus voir en peinture celle-là non plus.

Il n'était même pas neuf heures lorsqu'elle avait poussé la porte du Bon Petit Coin, le restaurant de ses parents, fermeture le dimanche, ça tombait bien.

Ils étaient à l'étage, dans la kitchnette, maman en robe de chambre, faisant ses mots fléchés, et papa en pyjama, écoutant sa radio sur un coin de Formica. Bobine s'était écroulée dans leurs bras.

Jusqu'à ce jour, elle avait évité de leur parler de la maison hantée. Déjà qu'Edwige ne digérait pas ses amies, Julie à la rigueur, mais ni la dévergondée (Zabelle), ni Brune, sa bête noire, le cas de le dire. Alors, que, par-dessus le marché, Bobine ait mis des sous dans leur « barcasse », maman ne l'avait pas avalé et ne vivait que dans l'espoir que l'association coule. Eh bien, ça y était, elle pouvait se réjouir : Bobine avait débarqué avant de se noyer.

Dans des flots de larmes, elle avait tout déballé, du talisman à l'*Aventurine*, en passant par les morts tragiques.

– Ma voyante me l'avait dit ! s'était écriée sa mère, le récit terminé. Cette Mme Suzy, quand même, vous avouerez qu'elle est extraordinaire ! Elle avait lu dans les cartes que ça tournerait mal.

Puis Edwige avait pointé le doigt sur la poitrine creuse du pauvre papa.

– Toi, il faudra que tu aides la petite à déménager au plus vite de la barcasse. Inutile d'attendre d'être passé chez le notaire. Tu feras attention à la psyché de grand-mère, elle est fragile.

Et bien sûr papa s'était incliné, se contentant de regarder Bobine avec ses yeux de Marcel. Pourquoi les hommes étaient-ils donc comme ça ? Soit des toutous comme le docteur Fleury et son père, soit des machos comme ceux du Toi & Moi, un ballon de foot arrosé de bière en guise de cervelle.

– On ramènera tout ici, ma choute, avait ajouté Edwige en direction de Bobine. Jamais tu n'auras la place dans ta fosse.

La Chaloupe : la barcasse ! Et « la fosse », le passage Pommeraye admiré du monde entier où se trouvait sa boutique. On ne pouvait pas dire que maman faisait dans la dentelle, mais elle ne digérait pas non plus la Chine. Et, lorsque, après la mort de Li Cheng, Bobine avait continué à travailler à la Baguette Magique, au lieu de venir tenir la caisse du Bon Petit Coin, Edwige en était tombée malade. Finalement, elle n'avait qu'un rêve : avoir sa « choute » sous la main et lui présenter blaireau sur blaireau jusqu'à ce qu'elle fasse une fin en se mariant. Comme si « faire une fin » pouvait être un but à trente ans.

Durant sa longue complainte, Bobine avait oublié de mentionner un détail, même deux, les seules lumières de ces jours sombres, ses réconforts, ses fiertés.

– Mais qu'est-ce que c'est que ça ? s'était écriée maman lorsqu'elle les avait laissé deviner en retirant étourdiment sa veste ouatinée.

Là, Bobine s'était retrouvée Shéhérazade : aucune critique et totale discrétion, sinon elle rembarquait.

Et comme Mme Suzy n'avait rien vu pointer dans ses cartes et qu'on ne pouvait plus changer la chose, Edwige l'avait bouclée.

Un malheur n'arrive jamais seul.

Il arrive que les sentences soient contredites par le destin. Pour Bobine, un bonheur avait suivi le malheur.

Il avait poussé la porte de la Baguette Magique lundi soir à dix-huit heures vingt – sortie de bureaux, regain de clientèle avant fermeture – en la personne soignée d'un jeune homme d'une quarantaine d'années, pantalon gris clair, veste marine, chemise ciel, cravate rayée, lunettes griffées.

La journée avait été mauvaise : plus que moyenne côté caisse et désastreuse rayon moral.

Aucun signe de ses amies.

Or ce n'était pas parce que Bobine avait décidé de vendre sa part qu'elle entendait rendre son chapeau de mousquetaire. Comment vivre sans Zabelle la prodigue (ses seins), la solide et calme Brune, et Julie avec laquelle elle partageait un même ardent désir : non pas « faire une fin », mais bâtir l'avenir en compagnie de l'âme sœur.

« Nous prenons note, Roberte »... Le ton de Zabelle tordait le cœur de Bobine en même temps que le cou de Shéhérazade. Mais « prendre note » était-ce tirer un trait ? Elle avait passé la journée dans l'espoir vain d'un coup de téléphone.

Elle s'apprêtait à appeler Julie lorsque la porte de sa boutique s'était ouverte sur le visiteur du soir.

– Pourriez-vous m'aider, mademoiselle ?

Mademoiselle... Comment avait-il deviné ? Un sixième sens, peut-être ? Bobine avait alors eu un flash – cela lui arrivait parfois : « Et si c'était LUI ? »

Il désirait s'initier au plaisir du thé mais n'y connaissait pas grand-chose. Il avait entendu dire qu'elle était une spécialiste.

Toute rose de bonheur, tenue n° 2 en poupe, Bobine lui avait offert le tour de ses grands crus, d'ordinaire réservé aux seuls connaisseurs : thés blancs de Chine, dont le fameux « Aiguille d'argent », thés verts aux feuilles pliées, roulées ou torsadées, fameux Darjeeling de printemps...

Ils s'étaient longuement promenés dans les jardins embaumés d'Indonésie, les prestigieuses plantations chinoises, côtoyant les cueilleurs aux larges chapeaux de paille, leurs lourdes hottes au dos. Et, comme il la suivait docilement, l'écoutant d'une oreille captivée, Bobine s'était sentie revenir à la vie.

Deux clients seulement avaient eu le mauvais goût de les interrompre, qu'elle avait expédiés vite fait sans leur proposer de dégustation. Et, avant de s'installer avec son voyageur devant un grand Himalaya – le champagne du thé – livré le matin même (clin d'œil du destin ?), elle avait subrepticement donné un tour de clé et suspendu à la porte l'écriteau « Fermé ».

Il s'appelait Gérard. Pas terrible, mais bon ! Pas grand : Bobine l'était-elle ? Légèrement enrobé : ce ne serait pas elle qui le lui reprocherait.

Il avait quarante-trois ans, divorcé comme tout un chacun à cet âge, une fille à la garde de la mère. Il était expert-comptable et vivait dans la grande demeure familiale, parc de mille mètres carrés, aux côtés de sa mère, veuve à la retraite. Attention ! Chacun son étage, cuisine indépendante, il n'était plus un petit garçon.

Tandis qu'il se livrait sans détours, Bobine étudiait le sujet d'un œil qui, hélas, en avait vu défiler bien d'autres. Deux éléments intéressants ressortaient de l'analyse : douceur, rondeur.

Un coussin.

Fourré de plumes comme en témoignaient les fines bouclettes argentées, disposées en couronne autour du visage de son visiteur.

Ajoutez la transparence.

En même pas trente minutes, elle en savait davantage sur lui qu'elle n'en aurait appris en une année, durant les sept minutes du *speed-dating* au Toi & Moi. Qu'est-ce qui lui avait pris d'aller gaspiller ses sous là-bas ? Autant jouer son cœur à la roulette. Et pas besoin de cours de séduction. En face de lui, elle s'était tout de suite sentie autorisée à être elle-même.

– Et vous, mademoiselle, si je puis me permettre ? avait-il demandé, son autobiographie achevée.

Comment ne pas répondre avec la même franchise ?

Bobine avait raconté sa triste enfance de fille unique, ses fiançailles avec Li Cheng qui l'avait initiée aux vertus de la diététique chinoise et à l'art du feng shui, ses espoirs de mariage tranchés en herbe par une mort violente, la générosité des parents du défunt qui lui permettait de subsister en lui laissant la gérance du magasin, sa résidence secondaire sur la Loire en compagnie de ses amies auxquelles elle venait de se voir contrainte d'abandonner sa part à la suite de plusieurs décès suspects.

Le coussin l'écoutait en trempant ses lèvres rondes dans son grand Himalaya, ne s'étonnant de rien (décès), ne réclamant aucun détail supplémentaire, comme s'il savait déjà tout. Ne dit-on pas lors de la rencontre d'âmes sœurs : « Ils avaient l'impression de se connaître depuis toujours » ?

En plus, Gérard était lui aussi fils unique.

Et, remarquant que son regard s'orientait volontiers sur ses tout nouveaux coussinets à elle, l'idée qu'il pourrait être le premier à en profiter avait embrasé les joues de Bobine.

Il lui avait acheté un coffret de douze tubes de thé : « Mélanges et parfums », sa meilleure vente de la journée. Et, alors qu'elle le raccompagnait à la porte, il avait eu ces paroles fabuleuses.

– Pourrons-nous nous revoir, mademoiselle ?

« Allô, Julie, c'est toi ? Tu ne m'en veux pas, promis ? Les autres non plus ? Même Zabelle, sûr de sûr ? Écoute, il faut que je te voie tout de suite. J'ai rencontré quelqu'un. »

17.

« Tu ne m'en veux pas ? »

Comment en vouloir à Bobine ? L'empoisonneuse de service, notre poil à gratter depuis plus de vingt ans, la cause de nos plus noires colères et de nos rires les plus fous.

C'était tout simplement de la tristesse que nous avions éprouvée, ce sombre dimanche-là, après sa porte claquée. Et, toute la matinée, nous avions espéré, comme si souvent, l'entendre claquer dans l'autre sens.

– Je vous préviens. Cette fois, c'est la dernière !

Le serait-elle ?

Lundi, dès dix heures, sans notre Shéhérazade pour nous tirer en arrière, nous traversions le pont suspendu qui menait à Ancenis, direction office du tourisme, pour nous renseigner sur une agence de voyages et sa propriétaire dont nous ne connaissions que le prénom : Peggy.

Déception ! L'agence n'existait plus. Un commerce l'avait remplacée. « Peggy ? » Le nom ne disait rien au jeune homme qui nous avait reçues. Il n'avait pu que nous communiquer l'adresse de la boutique.

– Vous voyez, aurait râlé Bobine en foudroyant Zabelle du regard. Jocelyn n'est pas le menteur que certaine imagine. On rentre !

Et, bien que bredouilles, nous aurions ri. Mais rentrer, pas question.

Des accents d'orgue s'échappaient par grosses bouffées de l'église Saint-Pierre-Saint-Paul, près de laquelle nous avions garé la voiture. Chez Cendrillon, une boutique de chaussures, se trouvait dans une rue toute proche. Là, l'employée nous avait appris que le magasin n'était ouvert que depuis quelques mois. Non, elle n'avait jamais rencontré l'ancienne propriétaire du local : Mlle Lassalle.

– Peggy Lassalle ? avait demandé Zabelle d'une petite voix.

– C'est cela. D'ailleurs, vous n'êtes pas la première à la réclamer.

En revanche, le nom, Violaine Fleury, ne lui disait rien.

Devant notre désappointement, elle était sortie avec nous sur le seuil de son magasin et nous avait désigné un bistro, non loin.

– Il paraît que c'était la cantine de Mlle Lassalle. Ils en savent certainement davantage.

Puis, les yeux brillants, elle avait montré le porche grand ouvert de l'église d'où montait toujours la musique, tantôt ample comme le vent, tantôt cristalline comme le cours d'une rivière.

– C'est l'organiste qui répète, nous avait-elle appris. Il donne un concert ce soir. Vous devriez venir l'entendre. Lorsqu'il joue, c'est céleste.

Et j'avais eu envie de passer ce porche, m'asseoir sur une chaise de paille, fermer les yeux, me laisser emporter, prier peut-être.

La « cantine » était un charmant café-restaurant à l'ancienne. Peu de clients. Nous nous étions installées au bar.

– Et pour les demoiselles ? avait demandé le patron, un homme dans la cinquantaine au visage jovial.

Zabelle avait commandé d'autorité la spécialité, vantée par une pancarte annonçant en toute simplicité : « Le roi Henri IV l'appréciait »...

Un verre de malvoisie.

– Malviennes... malvoisie... Bobine y verrait certainement un signe, nous avait-elle glissé.

Le patron regardait d'un œil réjoui cette brochette de filles qui carburaient au vin blanc à onze heures du matin. Délicieux, le vin !

– Vous êtes de passage ?

– Nous cherchons une amie qui travaillait à l'agence de voyages, avait commencé Zabelle.

– Peggy ou Violaine ? avait demandé l'homme, nous assenant un double coup de poing au cœur.

– Eh bien, pourquoi pas les deux ? avait répondu Brune légèrement.

Il avait désigné nos verres.

– Elles aussi appréciaient. Elles nous amenaient souvent des clients. Ici, on les appelait les « Miss ».

– Elles se ressemblaient donc ? avais-je hasardé, le cœur battant.

– Aussi grandes et belles l'une que l'autre, toujours parées comme pour un concours. À part ça, rien à voir : la brune et la blonde.

Il s'était interrompu pour aller servir un client. Rien à voir ? Nous nous étions regardées, consternées.

« Peggy était blonde et portait les cheveux courts... » avait dit Peter Keating.

Mais quoi de plus facile après tout que de se faire pousser les cheveux et changer de couleur.

– C'est Mlle Fleury, Violaine, qui a lâché la première, avait raconté le patron en revenant vers nous. Je crois bien qu'elle était fiancée. Son amie a continué quelque temps, seulement le cœur n'y était plus. Elle a mis la clé sous la porte au printemps dernier.

Au printemps dernier, nous achetions Cybèle.

– Savez-vous si Mlle Lassalle avait de la famille dans les environs ? Nous aimerions savoir ce qu'elles sont devenues, avait demandé Brune.

– Ça, je ne peux pas vous dire. Elles logeaient au-dessus de leur agence. Famille ou non, elles avaient l'air de bien s'amuser. J'espère qu'elles se sont retrouvées.

La brune était morte. La blonde jouait les revenantes...

Et, comme nous regagnions la place de l'église Saint-Pierre-Saint-Paul où répétait toujours l'organiste, j'avais su que désormais Ancenis serait pour moi cette musique « céleste ».

Celle des mariages et des enterrements.

18.

Qu'aurais-tu dit, Bobine, lorsque, après le déjeuner, un bref en-cas pris à la Chaloupe et apprécié du seul Marcel, Brune avait décidé d'aller cette fois interroger le maire ?

Très certainement : « Sans moi ! »

... avant de courir derrière nous en faisant semblant de n'être pas là.

La dernière fois que nous avions vu Jean-François Thierry, c'était lors de la réception donnée à la Chaloupe pour fêter l'arrivée de la plate ; à peine trois mois.

Alors, Zabelle et Fabrice s'aimaient, Lazare pleurait sur son voilier prisonnier, et notre Bobine n'était pas encore devenue Shéhérazade.

Recevant les Malviens chez nous, nous espérions nous faire accepter du bourg. Espoir anéanti le jour même par la découverte de la dagyde cachée dans notre barque.

M. le maire était là. Il nous a reçues dans son bureau.

– J'espérais votre visite, a-t-il dit sans sourire en nous désignant les sièges en face de sa table couverte de dossiers.

Il ne pouvait ignorer les événements de la Chaloupe. Était-ce pour cela qu'il nous attendait ?

C'était un homme jeune et entreprenant, apprécié de ses administrés. À plusieurs reprises, nous avions eu l'intention de le rencontrer. Et toujours remis...

Zabelle n'a pas pour habitude d'y aller par quatre chemins. Là, elle a pris le plus abrupt des raccourcis.

– Monsieur le maire, si nous avons acheté Cybèle, c'est en vertu d'une très ancienne amitié avec Violaine Fleury. Nous espérions l'y revoir un jour. Si quelqu'un ici avait eu l'honnêteté de nous apprendre qu'elle était morte, croyez bien que nous nous serions abstenues. Et cela nous aurait évité un bon nombre d'ennuis.

– Mais lorsque vous avez acheté cette maison, votre amie était vivante ! a protesté Jean-François Thierry. D'après son père, elle réussissait même fort bien aux États-Unis. Croyez-moi, personne n'a cherché à vous tromper. Nous étions tous au contraire très heureux que Cybèle ne soit pas vendue à des étrangers ; ainsi que c'est trop souvent le cas par ici.

Son visage s'est assombri.

– Je n'ai appris la mort de Violaine Fleury que tout récemment.

– Nous aussi, a reconnu Zabelle, la voix radoucie. Mais sans autre information. Son père vous a-t-il dit dans quelles circonstances cette mort s'était produite ? Et où ? En Amérique ?

– Voilà bien longtemps que je n'ai vu le docteur Fleury, a déploré le maire. Il est très malade comme vous le savez. Ce n'est pas par lui mais par Guy Lepape que j'ai appris la disparition de sa fille.

Nous sommes restées pétrifiées. Retour du prétendant de Violaine, le préparateur en pharmacie, celui qui avait indiqué le nom de l'envoûteur à Bertille.

– Lepape m'a parlé d'une longue maladie... Aux États-Unis, effectivement. Il ne semblait pas en savoir davantage.

Une longue maladie : un cancer, bien sûr ! J'ai échangé un regard avec Zabelle, le cœur dans un étau. Nous avions beau savoir que Violaine était morte, chaque fois que c'était répété, il nous semblait l'apprendre à nouveau.

Quelle idée aussi de « disparaître » si loin. Là où son père, lui-même atteint, n'avait pu aller l'aider... C'était proprement épouvantable.

– Connaissiez-vous l'*Aventurine*, monsieur le maire ? a demandé Brune sombrement.

Pour la première fois depuis notre arrivée, le visage de Jean-François Thierry s'est éclairé.

– Qui ne la connaissait ici ? Un voilier de toute beauté. Il avait inauguré notre nouveau ponton. C'était la passion de votre amie.

– Elle savait donc naviguer, me suis-je étonnée.

À l'époque où nous fréquentions Cybèle, elle se contentait d'être une nageuse hors pair.

– Une vrai pro. Elle avait passé tous les permis possibles. Vous savez qu'elle était fiancée avec un Australien. Elle cherchait le moyen de faire venir son bateau à Sydney.

« Les vents nous porteront. »

– Qu'est devenue l'*Aventurine* ? a demandé Brune.

– Le docteur Fleury l'a vendue peu après le départ de sa fille.

– Savez-vous à qui ?

– On a parlé d'un Nantais.

Que probablement nous ne retrouverions jamais.

Vendue l'agence, vendue l'*Aventurine*. « La mer efface sur le sable les traces des amants désunis... »

– Puis-je vous donner un conseil ? a repris le maire. Cessez de remuer le passé. Les gens sont mal à l'aise, ici. De vieux souvenirs remontent. Tâchez de rester discrètes.

– Discrètes ? C'est trop fort ! s'est emportée Zabelle. Nous achetons cette maison ; dans les règles, me semble-t-il. Sans que nul ne trouve à y redire. Vous-même affirmez en avoir été content. Imaginez-vous que nous avons cherché ce qui nous arrive ?

– Bien sûr que non, a soupiré le maire d'un air malheureux. Mais vous avez sûrement entendu parler des fréquentations douteuses de Mme Fleury. Les gens ont peur que de nouveaux drames se produisent.

– Ces fréquentations « douteuses », comme vous dites, on aurait dû nous en avertir, au moins le notaire. Et pourquoi pas vous ? a protesté à nouveau Zabelle.

– Nous aurions dû, en effet, a reconnu le maire. Mais nous espérions en avoir terminé avec cette affreuse histoire. Et vous savez combien le docteur Fleury tenait à ce que ce soit vous qui achetiez la maison. Quant au notaire, il est de ceux qui ne croient pas aux forces occultes.

– Et vous, monsieur le maire, vous y croyez ? a demandé abruptement Brune.

– Il me suffit de savoir qu'au bourg certains y ajoutent foi. Je ne me sens pas le droit de les ignorer, a répondu celui-ci en se levant.

Audience terminée.

« Lorsqu'on s'engage dans ce monde-là, on ne sait jamais jusqu'où il vous entraînera », avait dit Joson.

Quittant la mairie, Brune a pointé le doigt sur la croix éteinte de la pharmacie.

– Toi, tu ne vas pas tarder à avoir de mes nouvelles !

Et là, si ce n'avait déjà été fait, sans aucun doute, Bobine aurait vendu sa part.

« Il faut qu'on se voie tout de suite », a-t-elle supplié ce lundi soir à l'appareil.

Le plus vite possible, Bobinette ! Si tu savais comme tu nous as manqué.

19.

Aujourd'hui, vendredi 29 avril, avant-veille du 1er mai, tournage à France 3 du numéro zéro de « Bonjour Tout le Monde » qui, s'il donne satisfaction, sera projeté le 4 juillet prochain, inaugurant la nouvelle émission de l'été.

Enregistrement prévu de seize à dix-sept heures.

Afin que l'esprit de cette émission, si critiqué par Denis Brissac pour son côté « conte de fées », soit bien présent, j'ai choisi mon invité avec un soin particulier.

C'est une petite annonce dans un journal local qui m'a mise sur sa piste. Une dénommée Geneviève recherchait tous renseignements concernant un jeune homme qui l'avait sauvée de la noyade alors qu'elle se promenait en bord de fleuve à Thouaré, non loin de Mauves.

Elle avait accepté de me rencontrer, à Nantes où elle habitait.

Épouse d'ingénieur, Geneviève était une jolie jeune femme d'une trentaine d'années qui, lorsqu'elle m'avait ouvert la porte de son bel appartement, explosait de bonheur. Elle venait, après plus de trois semaines de recherches, de retrouver enfin le garçon qui l'avait sauvée et, du même coup, avait permis à ses enfants de conserver leur maman. Celui-ci, m'avait-elle appris, s'était volatilisé avant qu'elle ait pu lui dire merci.

Il s'appelle Serge et il a seize ans. Orphelin de mère, il vit avec son père et sa petite sœur dans un mobil-home près de la Loire. Il sera mon invité, Geneviève l'interlocutrice-surprise.

Il n'a pas été facile de rencontrer Serge. Encore moins de le convaincre de venir raconter son histoire devant le petit écran. Lorsque je le lui ai demandé, il a eu la phrase typique des modestes Tout le Monde.

– Mais je n'ai rien fait d'exceptionnel, c'était tout naturel.

La vingtaine de personnes conviées à assister à l'enregistrement a été choisie dans l'entourage de ceux qui travaillent à l'émission. Par la suite, nous répondrons aux demandes des téléspectateurs. J'ai eu droit à deux invitations et choisi Brune et Xavier Baupin. Un instant, j'avais pensé à convier maman, mais, anxieuse comme elle est, elle aurait risqué de me contaminer. Xavier et Brune me transmettront leur confiance.

Mercredi dernier, Julian m'a appelée : verrais-je un inconvénient à ce qu'il assiste à cette première ?

« Et ensuite, je t'enlève. Tu me réserves ta soirée, c'est d'accord ? »

Une légère tension dans sa voix m'a fait soupçonner que Xavier lui avait parlé des récents avatars de la Chaloupe. S'inquiétait-il pour moi ?

J'ai bien sûr dit d'accord ; tant pour sa présence au numéro zéro que pour l'enlèvement.

Il est trois heures. Dans la petite salle de maquillage, c'est à mon tour de prendre place dans le fauteuil d'opération.

Je porte un top bleu clair, la couleur qui passe le mieux à l'écran – conseil d'Hélène Lepic –, égayé par une fine chaînette dorée. Ce matin, chez le coiffeur, j'ai résisté non sans peine à l'envie de lui révéler pourquoi il devait me faire belle. Ne vendons pas la peau de l'ours...

La maquilleuse retire la serviette nouée autour de mon cou.

– Alors, vous vous plaisez, Julie ?

Je me penche vers le miroir. Est-ce bien moi, cette fille au teint uni, tous défauts gommés, pommettes discrètement rosées, lèvres brillantes, cils de star ? Quant à la couleur de mes yeux, mon frère Hugues ne pourrait plus s'en moquer : sous le vert huître, la perle brille de tous ses feux.

Au tour de Serge de passer dans le fauteuil. Un père italien lui a légué une épaisse tignasse brune et des yeux assortis. Lui, on se contentera de le poudrer.

Il me regarde, visiblement angoissé, et les paroles de Marini me reviennent : « Vos invités ne risquent-ils pas d'être paralysés par les projecteurs ? »

J'ai tout fait pour l'éviter : Serge a beaucoup à dire, nous avons longuement préparé l'interview. Je compte bien l'amener à exprimer le meilleur. Avec, n'est-ce pas Julian ? ma « voix qui sait écouter ».

Je pose ma main sur la sienne.

– Tu verras. Cela va te sembler trop court.

– Il est temps, nous avertit Hélène Lepic en passant la tête à la porte.

Dans une demi-heure.

Sur trois rangées de chaises, les invités sont déjà en place dans le studio. Mon cœur bat en reconnaissant parmi eux Julian et Xavier, assis côte à côte au premier rang. Au dernier, Brune m'adresse le V de la victoire : c'est pour ça que je t'ai invitée...

– Attention, les pieds !

Les câbles noirs serpentent par dizaines sur le plancher, entre les caméras près desquelles se tiennent déjà les opérateurs. Le décor que j'ai choisi, trouvé dans les archives de Nantes et intitulé : « Sortie de bureaux », occupe tout le panneau derrière le plateau. Une marée de visages en noir et blanc. À première vue, tous sont semblables, mais si vous prenez la peine de vous pencher sur eux, chacun est différent.

Mon cœur se gonfle de fierté. J'ai sorti Serge de la foule des anonymes pour l'honorer.

Le présentateur est déjà installé sur l'estrade. Le même que celui qui, sur une certaine cassette, annonçait : « En ce beau jour de printemps à Trentemoult »...

Chut. Interdit d'y penser.

Je m'installe à sa gauche, Serge à la mienne. Un siège restera vacant jusqu'à l'arrivée de Geneviève pour la seconde partie.

Un technicien accroche deux micros-cravates à mon top, un seul au blouson de Serge. Incrusté dans le bois de la table, un petit écran me permettra de suivre le déroulement de l'émission tandis qu'une horloge m'en indiquera le minutage. Grâce à mon oreillette, je serai en contact permanent avec le réalisateur. Tout cela, je me le remémore comme le pilote dans sa cabine avant de décoller. Là-haut, derrière la vitre de la régie, je reconnais les visages de Labauville et de Marini.

Mon cœur bat.

Le voyant rouge a été allumé à la porte. Plus personne ne rentre : on va tourner.

– Cinq minutes, annonce la voix du réalisateur dans les haut-parleurs.

Le présentateur jette un dernier coup d'œil sur ses papiers. Les caméras pivotent vers nous, vers moi. Je croise le regard de Xavier. Il me sourit.

« Nous sommes tous appelés à refaire nos preuves toute la vie », me répète-t-il.

Alors, à nous deux, la vie !

20.

Dans les haut-parleurs, une voix a annoncé :
– Attention, générique.
La musique s'est élevée tandis que s'inscrivait sur l'écran :

BONJOUR TOUT LE MONDE
Une émission conçue et animée
par Julie Guillemin.

– Trente secondes..., a annoncé la voix.
Puis, dans mon oreillette, celle du réalisateur : « Julie, à toi. »
J'ai fixé la caméra et j'ai lancé.
– Bonjour tout le monde.
Je me suis tournée vers mon invité.
– Aujourd'hui, j'ai le bonheur de recevoir Serge. Il vient d'avoir seize ans. Il m'a autorisée à le tutoyer. Grâce à lui, Luc et Marine, huit et six ans, ont pu garder leur maman.
Sur le petit écran, le visage ému du jeune homme est apparu en gros plan, étourneau effarouché.
– C'est arrivé durant les dernières vacances scolaires, passées par Geneviève et ses enfants à

Thouaré-sur-Loire, chez leurs grands-parents. En cette fin de matinée belle et froide, la famille se promène au bord du fleuve. Et, soudain, c'est le drame...

Je raconte le ballon qui s'échappe des mains de Luc, le faux pas de Geneviève voulant le rattraper, sa chute dans l'eau glacée, le courant qui l'emporte.

Les enfants hurlent, la grand-mère est paralysée, le grand-père compose le numéro des pompiers sur son portable.

C'est alors qu'un jeune homme, surgi d'on ne sait où, plonge. Il nage jusqu'à Geneviève, elle s'accroche à lui, on dirait qu'ils luttent, on dirait qu'il l'emporte. Lorsque enfin les pompiers arrivent, Serge vient de ramener Geneviève sur la berge où il s'écroule, un bras en travers de son corps comme s'il voulait l'empêcher de lui échapper.

Je me tourne à nouveau vers Serge.

– Ce sont les paroles mêmes des pompiers : « Comme s'il voulait l'empêcher de lui échapper. » Avais-tu si peur de la perdre ?

– C'est que ça avait été très dur. Surtout avec son gros manteau. J'ai bien cru m'en aller avec elle.

– Mais pas question d'abandonner...

Avec un sursaut de fierté, Serge relève le menton.

– Abandonner ? Mais c'était pas possible...

– Pourtant, tu refuses de parler de courage.

– J'ai même pas réfléchi. Fallait y aller.

Sur les traits adolescents, les sentiments se bousculent. Je laisse le visage s'exprimer avant de reprendre.

– Les pompiers raniment Geneviève. Ses premiers mots lorsqu'elle revient à elle sont pour te réclamer. C'est alors que l'on découvre que tu as disparu.

– Il fallait que je retourne vite à la maison pour me changer avant le travail.

« La maison »... mon cœur se serre. Ce mobil-home sans confort, mal vu du voisinage, sur un terrain vague près du fleuve. Lors de mon enquête, certains m'ont soufflé que le père buvait depuis la mort de sa femme, que c'était le garçon qui s'occupait de tout.

Je n'en dirai rien : linge sale.

– Ton travail, Serge. Si nous en parlions. Tu fais un stage de mécanique dans un garage...

– C'est ça. Et mon patron ne rigole pas avec les horaires. J'ai même pris un sacré savon, ce jour-là.

– Tu n'as pas pensé à lui donner la raison de ton retard ? Il me semble qu'il aurait compris.

L'étourneau soupire.

– C'est que c'était pas la première fois...

– En effet. Et ces retards sont dus à un rêve que tu fais depuis l'enfance, rêve qui prend beaucoup de ton temps et n'est donc pas bien vu de ton patron. À quatorze ans, tu es entré à l'école des cadets des sapeurs-pompiers. Tu viens d'en avoir seize et tu prépares l'examen de pompier volontaire. Puis ce sera le concours qui te permettra de devenir professionnel. C'est bien ça ?

Le visage de Serge s'est éclairé, ses yeux brillent. Je connais : rien de tel qu'un rêve pour vous transfigurer.

– C'est bien ça, acquiesce-t-il. En ce moment, on apprend les premiers secours. Pour aller au feu, il faut attendre dix-huit ans. Ça me prendra encore plus de temps.

– Et autour de toi, Serge, certains cherchent à te décourager : métier dangereux, insuffisamment reconnu, sans horaires, mal payé... Ajoutons que tu es doué pour la mécanique. Un bel avenir t'y attend sans doute. Mais tu t'entêtes.

En moi, l'émotion monte. Bon signe ! J'ai appris à Radio-Sourire qu'elle était contagieuse. Lorsque ma gorge s'obstrue, celle de mes auditeurs se serre. Et si j'ai soudain du mal à respirer, c'est que Geneviève m'a confié la raison de l'entêtement de mon jeune invité. Mais pas question de la révéler. À lui de le faire s'il le souhaite.

Je suis à la frontière que je me suis promis de ne pas dépasser : celle du voyeurisme. Je ne jetterai pas en pâture au public l'intimité de Serge.

– C'est vrai que la mécanique, ça me plaît, reconnaît-il. Mais, pour moi, l'avenir c'est pas ça.

Son regard s'échappe. Il vole loin du studio, de nous, et je crois savoir ce qu'il regarde.

– C'est comme quand j'essayais d'arracher Geneviève au courant, explique-t-il d'une voix sourde. Je ne pouvais pas la laisser couler. Cette fois, il fallait que j'y arrive...

Cette fois... Tout est dans ces deux mots : sa peine et son remords. Lui aussi est à une frontière. La franchira-t-il ?

« Trois minutes avant la pause, il va falloir conclure, Julie », annonce la voix du réalisateur dans mon oreillette.

J'ignore l'avertissement. Imagine-t-il que les héros ont l'œil sur une pendule ? Qu'ils vident leur cœur sous la pression ?

On n'entend plus que le ronronnement des caméras. On ne voit plus que les mains de Serge qu'il croise et décroise, et ses lèvres qui tremblent. Les mots sont là, il voudrait les dire, il n'ose. Et je m'apprête à conclure lorsqu'il se libère.

– Parce que vous voyez, Julie, quand ma maman s'est noyée, j'étais trop petit pour la sauver.

« On arrête là », a annoncé la voix dans le haut-parleur.

L'image s'est figée sur le visage de Serge. À la porte du studio, la lumière est passée au vert.

– Parfait, Julie, a dit le présentateur.

« Impeccable », a approuvé la voix du réalisateur dans mon oreillette.

J'ai pris la main de Serge. Il avait les larmes aux yeux.

– Merci de m'avoir appelée Julie.

Sur l'écran, un capitaine de pompiers parlait de son métier.

J'ai cherché le regard de mes amis dans l'assistance.

« Continue comme ça », m'a dit celui, ému, de Julian.

« Examen réussi », a approuvé Xavier.

Où était passée Brune ?

Geneviève est montée sur l'estrade, blonde aux yeux clairs, superbement maquillée, sûre d'elle.

Elle m'a serré la main avant d'embrasser Serge.

– De la part des enfants.

Le technicien fixait le micro à son top. On procédait à un essai de voix. Geneviève raconterait-elle que Serge et elle s'étaient mutuellement adoptés ? Qu'elle mettait tout en œuvre avec son mari pour que la famille trouve un vrai toit ?

La maquilleuse venait me repoudrer le nez et les pommettes. Il fait torride sous les projecteurs... L'émotion vous consume de l'intérieur.

Derrière la vitre de la régie, je pouvais apercevoir les visages de Labauville et de Marini, en grand conciliabule. Qu'avaient-ils pensé de cette première partie ? Tiens ! Où était passée Hélène Lepic ? Ne m'avait-elle pas promis de venir faire le point pendant la pause ?

Mais quelle importance ? « Impeccable », avait dit le réalisateur. Et, durant la seconde partie, sans nul doute, la beauté, l'enthousiasme de Geneviève lui gagneraient tous les cœurs.

Déjà, chacun regagnait sa place. Déjà, le voyant rouge s'allumait à la porte.

– Trois minutes, a averti la voix dans les haut-parleurs.

Serge souriait à Geneviève, heureux. Qu'est-ce que je t'avais dit ? Le temps passait trop vite.

Musique. Générique.

« Julie, à toi. »

Je me suis envolée pour la gloire.

21.

À quel moment ai-je compris que ce serait la défaite ? Que j'avais perdu la partie ?

Sans doute une dizaine de minutes avant la victoire, lorsque le premier rire a éclaté dans l'assistance : un rire féminin chargé de haine.

Pourtant, tout avait si bien commencé ! Geneviève avait parlé des vacances qu'elle aimait à passer chez ses beaux-parents avec Luc et Marine, puis, d'une voix altérée, elle avait raconté l'accident, sa glissade sur l'herbe givrée, sa chute dans la Loire, le courant qui l'emportait et ses efforts désespérés pour garder la tête hors de l'eau glacée.

Son regard ému s'était alors tourné vers Serge : et, au moment où elle allait abandonner, cette main-là qui se tendait vers elle, cette voix-là qui lui criait de tenir bon, lui redonnant la force de lutter.

La main, la voix de cet adolescent, pas plus grand qu'elle, aux épaules étroites, dont le visage, durant son récit, avait exprimé tour à tour la timidité, la confusion, la gratitude, jamais l'orgueil. Tout juste, parfois, un soupçon de fierté.

À ma demande, la jeune mère avait ensuite décrit son sentiment de frustration lorsque les pompiers lui avaient appris, durant son transport à l'hôpital, que son sauveur était parti sans laisser ni nom ni adresse et, plus tard, sa décision, prise avec son mari, de tout mettre en œuvre pour le retrouver.

– Vous comprenez, sinon il me semblait que je ne pourrais plus jamais respirer à fond. Cette respiration, ne me l'avait-il pas rendue ?

Et le sourire merveilleux de Serge.

Après trois semaines de recherches et de petites annonces sans écho dans les journaux locaux, Geneviève s'apprêtait à engager un détective privé lorsque enfin la réponse tant attendue était venue : un appel du patron de Serge, qu'un collègue avait alerté.

« Dis donc, ça serait pas ton apprenti pompier qu'on réclame partout ? »

Et son bonheur : elle allait enfin pouvoir dire le mot qui l'étouffait : « merci ».

C'est sur ce « merci » que le rire a éclaté. Il venait du dernier rang des invités. En découvrant l'auteur, j'ai d'abord cru à un mauvais rêve.

Roseline Chantelle.

La poétesse plagiaire qui avait saboté mon émission à Radio-Sourire.

Comment était-ce possible ? Qui l'avait fait entrer ? J'étais certaine de ne pas l'avoir vue durant la première partie.

Un « chut » indigné de ses voisins l'avait fait taire. « On continue », m'a ordonné le regard du présentateur. Geneviève et Serge me fixaient d'un air interrogateur. Une autre que moi leur a souri. Une autre a parlé, dont la voix, au prix d'un immense effort, a copié celle de la journaliste.

– Geneviève... Vous avez donc retrouvé Serge. Vous interdisez à son patron de l'en avertir. Et ce matin-là, avec Luc et Marine, vous allez le surprendre à la sortie de son travail. Racontez-nous sa réaction lorsqu'il vous a découverts tous les trois.

– Il a essayé de se sauver, a répondu Geneviève avec entrain. Luc lui a couru après. Pas question qu'il nous échappe. Si vous voulez savoir, je crois bien qu'on pleurait tous comme des Madeleine ; même son patron s'y était mis.

Le rire a éclaté à nouveau.

– C'est qu'on en chialerait bien nous aussi, a crié Roseline Chantelle.

Elle s'est levée. Avec ses longs cheveux épars et son maquillage outrancier, elle avait l'air d'une folle. Ce qu'elle était.

« Mon Dieu, mais c'est qui, celle-là ? » s'est exclamé le réalisateur dans mon oreillette.

Et voilà que comme pour lui répondre, ma voix, oui, ma propre voix, est montée du magnétophone qu'elle brandissait.

« Le miracle s'est produit. »

– Quel miracle ? a crié mon ex-invitée. Quel miracle ? Cette salope a bousillé ma vie.

– On coupe, a ordonné le réalisateur dans les haut-parleurs.

Un silence pétrifié a suivi durant lequel, en une parfaite mise en scène, digne d'une spécialiste, on a pu m'entendre cette fois annoncer gaiement :

« Vous écoutez " Bonjour Tout le Monde ", l'émission de Julie Guillemin. »

Tous les regards se sont tournés vers moi.

Dans la pagaille qui a suivi, je me souviens de Brune s'empoignant avec Roseline Chantelle.

Des visages désolés, incrédules, de Serge et de Geneviève.

De Julian tenant le bras de Labauville, lui parlant avec force tout en l'entraînant vers moi.

De la main de Xavier se tendant vers la mienne pour m'aider à descendre de l'estrade.

Fuir. Disparaître.

Je me souviens d'Alix Marini me barrant le passage.

– Pouvez-vous vous expliquer, Julie ?

Lors de notre première rencontre, il m'avait demandé : « Vous est-il arrivé d'être mise en difficulté par l'un de vos invités ? » Il avait dit également : « En direct, à la télévision, ça ne pardonne pas. »

Eh bien voilà. Ça ne pardonnerait pas.

Roseline Chantelle se débattait, maintenue par deux techniciens.

Brune, les yeux étincelants de colère, se dressait entre Alix Marini et moi ; elle ordonnait.

– Laissez-la. Interrogez plutôt cette garce. C'est elle qui a fait entrer la folle.

Je me souviens du regard stupéfait de Marini suivant le doigt pointé de Brune sur la « garce », la jeune femme au fond du studio dont le visage, lorsqu'elle s'était vue démasquée, s'était décomposé sous l'effet de la rage.

– Je les ai vues discuter ensemble avant la seconde partie. Si vous lui demandiez pourquoi elle a décidé de couler l'émission de Julie ?

L'assistante dudit Marini, ma guide : Hélène Lepic.

22.

– Où veux-tu aller ? a demandé Julian, les mains sur le volant de cette voiture que je ne connaissais pas, élégante, certainement chère, celle de sa vie sans moi, cette vie dont je n'avais eu droit qu'à des bribes, des miettes.

– À la mer.

La Baule de mon enfance, des amours perdues. Et, dans la clameur des vagues, oublier le cri méprisant d'Hélène Lepic.

« Cette petite conne qui croyait que c'était arrivé. »

Avec Julian aussi, la « petite conne » avait cru que son rêve se réaliserait. N'étais-je donc bonne qu'à me raconter des histoires déraisonnables qui ne menaient nulle part ?

– Souhaites-tu passer prendre un sac chez toi ? a demandé Julian d'une voix trop douce et, une fois encore, j'ai eu envie de le fuir.

– Pas la peine ! Partir sans sac, j'ai l'habitude.

Il a démarré. Sept heures, le jour encore. Il pleuvait, c'était bien, c'était dans le ton. Et, pluie ou non, les rues étaient pleines de Tout le Monde qui s'apprêtaient à célébrer 1er Mai et fête du Travail. Qu'allions-nous fêter ce soir, moi avec mon visage trop maquillé de starlette d'un jour – pardon, d'à peine une heure – et le faux vagabond ?

– Pourquoi es-tu venu à Nantes, Julian ?

– Ton numéro zéro, bien sûr. Labauville m'avait averti. Mais aussi pour que nous parlions de ta Chaloupe. Xavier m'a tout raconté. Je m'inquiète pour toi.

Un feu nous a arrêtés. Les piétons se sont rués, serrés. Je me sentais comme ces murs qu'on laisse debout pour cacher le vide.

– Par quoi veux-tu commencer ? a demandé Julian.

– Par nous. Toi et moi.

Toi & Moi. Coucou, Bobine !

Ça lui apprendrait à m'emmener de force.

Il a redémarré.

– Vendredi dernier, après avoir vu la fameuse cassette chez Lazare, Xavier m'a raccompagnée chez moi, ai-je commencé. Il est monté jusqu'à mon studio. J'ai eu envie qu'il reste. J'ai eu envie de faire l'amour avec lui. J'ai regretté qu'il ne me le demande pas.

Les mains de Julian se sont crispées sur le volant. Il a gardé le silence.

– J'ai eu envie de Xavier parce que tout ce qui me tombe dessus en ce moment, que ce soit à la Chaloupe ou ailleurs, s'il y avait quelqu'un pour le partager avec moi, ce ne serait rien.

Il y aurait même des moments doux.

– Mais je suis là, Julie ! a protesté Julian d'une voix douloureuse.

J'ai entendu mon rire mauvais.

– À combien de lieues ? Et de quelle façon ? Sans te mouiller, sans t'exposer, en catimini.

À nouveau, il n'a pas répondu. Les essuie-glaces rythmaient le temps et ma douleur. Quand la déchirure s'était-elle produite, ouvrant les yeux de la « petite conne » ? À quel moment le ressentiment, la rancune, la rancœur, avaient-ils commencé à sourdre d'un cœur où je les tenais soigneusement bouclés ?

Je le savais très exactement : lorsque, avec un soupir, Peter Keating avait constaté : « Le docteur n'avait pas son mot à dire. Bertille régentait tout. »

Julian n'avait pas son mot à dire. Il s'écrasait devant Viviane.

La suite a déferlé comme un torrent : j'en voulais à Julian de ne pas m'avoir avertie, dès la première rencontre, qu'il était marié et père d'une petite fille, d'avoir laissé grandir l'amour sur un terrain miné et, lorsque j'avais voulu rompre, de m'avoir gardée en réserve, ligotée avec ses « Tu fais toujours partie de ma vie », ses « Ne compte pas sur moi pour te lâcher », des phrases de joli cœur que j'avalais comme pain béni sans vouloir m'avouer que c'était de l'espoir bidon. Les belles promesses qu'on jette à celles qu'en littérature on appelle les « secondes », qui vivent de restes, de moments volés et d'attente. Si, avec ou sans mon accord, il avait cassé un bon coup, il m'aurait permis de guérir de lui et d'aller voir ailleurs.

Par exemple du côté de Xavier Baupin.

Il y a trop d'ombre dans ma vie, Julian, j'ai besoin de clarté, je ne veux plus être la seconde, et les romans de gare, je n'y crois plus.

LA BAULE. Onze kilomètres.

Déjà ?

Lorsque nous nous y rendions avec mon père, le trajet nous paraissait trop long. On avait l'impression qu'on n'arriverait jamais. On criait : « Vite, papa. Plus vite ! »

Pas si vite, Julian. Il me reste à te parler de Bobine.

Grande nouvelle : Bobine avait rencontré quelqu'un ! Elle l'appelait drôlement « le coussin ». Il ne fallait rien y voir de péjoratif, au contraire. N'appuie-t-on pas sa tête sur un coussin lorsqu'on est fatigué ? Ne rêve-t-on pas de ce moment lorsque la journée a été difficile ? Certaines femmes – je n'avais jamais vu d'hommes le faire – aimaient à serrer ce coussin contre leur poitrine, à y enfoncer les lèvres comme dans un doudou ou dans la tendre chair d'un enfant.

Lorsque Bobine m'avait parlé de lui, je l'avais enviée. Et envier Bobine, bien que ce soit mon amie, c'était une première que j'aurais préféré éviter.

Cette fois, ça y était : nous entrions dans la blanche avenue sur la mer. Qu'ils étaient beaux, ces arbres qui nous faisaient escorte, et gaies, ces lumières dans le restant du jour, comme les bougies d'un anniversaire que chantaient les vagues.

Pour en terminer avec le sujet qui fâche, j'ai dit à Julian que je lui en voulais de continuer à l'aimer malgré tout.

Durant le trajet, il n'avait prononcé que quatre mots : « Mais je suis là. » Et j'avais pris soin de ne pas regarder l'œuvre des miens sur son visage. Aussi ai-je été soulagée lorsque, avant même notre sortie de carrosse, le portier s'est précipité pour nous abriter sous un parapluie géant.

23.

C'était bien sûr le grand et bel hôtel où la petite fille d'autrefois, son seau de coquillages à la main, ses mollets pleins de sable, avait fait sa princière entrée avec ses parents. Le même quatre-étoiles où Julian m'avait emmenée quelques mois auparavant.

Je l'ai laissé aller seul au comptoir : imaginez qu'un œil ennemi nous guette : un détective envoyé par Viviane.

Au bar, un pianiste jouait en confidence. La grande salle à manger bruissait sous les lustres de cristal. C'était hier, le dîner en famille, à cette table ronde, là-bas. Avec mon père à aventures et ma mère à chagrins se préparait la femme que j'étais aujourd'hui. L'enfance n'est que la répétition de ce qui se jouera plus tard. Rêve, amour et douleur commençaient à s'inscrire sur la tendre peau de mon cœur.

Mais pour les batailles d'oreiller avec Hugues et Caroline, hélas, c'était fini.

– Tu viens ? a dit Julian.

J'ai ignoré sa main.

Nous avions de la chance : alors que l'hôtel affichait complet, une suite venait de se libérer : chambre avec balcon sur la mer, petit salon. Grand lit dans l'une, canapé-lit dans l'autre. J'ai l'œil pour ces choses-là.

Le garçon a posé le sac de Julian sur la banquette et après nous avoir souhaité une bonne nuit, il nous a laissés seuls.

Julian ne m'a pas ouvert ses bras. Il savait que je n'y viendrais pas. Quel autre visage, vu récemment, le sien m'évoquait-il ?

– Je vais demander qu'on nous monte à souper ici, a-t-il dit. Prends un bain, cela te réchauffera. Tu trembles toute.

Je suis passée docilement dans la salle de bains. Il avait raison : j'étais glacée, intérieur comme extérieur. Et il y a des moments où cela fait du bien d'obéir.

Sur la tablette de marbre, un petit panier contenait tout le nécessaire pour dame sans bagage : shampoing, démaquillant, lotion, crèmes diverses. Rien pour les dents, un vieux souvenir. Je les brosserais avec les doigts, d'accord, papa ?

Tandis que l'eau coulait, je me suis dépeinturluré le visage. Était-ce moi, ce Pierrot ?

« Cette salope a bousillé ma vie. »

Si ma chère poétesse n'était venue, par les bons soins d'Hélène Lepic, saboter le numéro zéro, je serais à cette heure-ci en train de fêter mon succès avec Julian, le cœur plein d'un poison que j'aurais continué à vouloir ignorer.

Alors merci, les tombeuses d'illusions.

Je suis entrée dans l'eau mousseuse. Tête appuyée au rebord de la baignoire, yeux clos, j'ai laissé s'apaiser la tempête, se calmer la douleur. Je serais bien restée là toute ma vie. Pour que je me décide à sortir, il a fallu, dans le salon voisin, un cliquetis de couverts et cette voix masculine qui disait : « Ça ira... merci... bonsoir... », des mots comme ça, de tous les jours. Plus une odeur rousse : bisque ?

« *Bisque, bisque, rage* », chantonnait Hugues.

La rage s'en était allée, je ne voyais même plus mon visage dans la glace embuée.

Sur la nappe blanche, un couvert d'apparat avait été dressé. Il y avait même un rond bouquet de roses. La princesse déchue a pris place à la table dans l'épais peignoir blanc, noué par une ceinture large comme un cordon à rideau. Au menu : bisque de langoustine, assortiment de fromages de chèvre (*bisque bisque rage t'auras du fromage*), salade et compote de fruits frais.

– Ça t'ira ? a demandé Julian en s'asseyant en face de moi.

Facile de viser juste quand on a les mêmes goûts.

Après qu'il eut rempli nos assiettes, j'ai dit : « Moi, c'est fini. À toi, Julian. »

Il avait gardé pour moi ce long week-end de 1er mai. Ce soir, il espérait fêter mon numéro zéro. Demain, si j'en avais été d'accord, il aurait rencontré mes amies à la Chaloupe. C'est pourquoi il était venu en voiture. Le monsieur des ressources humaines souhaitait examiner la situation avec les mousquetaires. Derrière ce qui nous arrivait, sorcellerie ou non, il y avait une dangereuse folledingue. Oui, il était inquiet.

Folledingue... le mot m'a plu. Rien qu'une super Roseline Chantelle ?

– Je serais soulagé si tu n'allais plus là-bas pendant quelque temps.

Le culot ! Me prenait-il pour Bobine ?

Mais il y avait une autre raison à sa venue à Nantes, une nouvelle d'importance.

Viviane avait pris un amant.

Loin de s'en cacher, elle s'affichait avec lui. Julian avait consulté un avocat : s'il demandait le divorce, elle ne pourrait plus lui refuser une bonne partie de la garde de Manon.

J'en ai laissé tomber mes couverts. Divorce... garde de Manon... Est-ce que je rêvais ? Après tout ce que je venais de lui balancer, il me semblait être entraînée dans un mirage. Où était le piège ?

– J'ai parlé de toi à mon avocat, a poursuivi Julian. Je lui ai tout dit. Il m'a recommandé la prudence ; au moins jusqu'au divorce. Plusieurs mois. À condition que Viviane ne fasse pas d'embrouilles. Après, nous serons libres.

Il s'est interrompu. Je n'ai pas réagi, paralysée.

– Tout ce que tu viens de me dire, je le mérite. Je n'ai été qu'un fichu égoïste. Ma seule excuse, je t'aime, Julie. Si tu en as assez d'attendre, cette fois, je m'effacerai pour de bon. Tu n'auras plus de nouvelles de moi.

Il a eu un rire douloureux.

– Quant à mon foutu roman de gare, je l'ai mis au panier. Des mots même pas bien écrits. Tu vois, je crains fort de n'être jamais Jules Verne.

Il consacrerait désormais ses forces à se battre. Quelle que soit ma décision, la sienne était prise : il se séparerait de Viviane.

– Voilà, moi aussi j'ai fini, tu sais tout.

Il me regardait intensément, attendant une réponse, un signe.

Je n'ai pas pu les lui donner. Le piège existait bien : à nouveau l'attente, l'obscurité, les instants volés. « Plusieurs mois à condition que Viviane ne fasse pas d'embrouilles. »

À nouveau l'espoir, soumis au bon vouloir de sa femme.

Et voyant son visage se défaire devant mon silence, j'ai trouvé celui qu'il m'évoquait : le visage de Peter Keating apprenant qu'il avait perdu Violaine.

24.

Accompagnée par le cri des mouettes, la mer entre dans ma chambre, flux, reflux.

Un rayon de soleil darde entre les pans des rideaux. Neuf heures à l'horloge de la télévision. Ai-je dormi si longtemps ? La télévision... c'est vrai. Fini, Julie à la télé.

Jeté sur le dossier d'un fauteuil, mon beau peignoir blanc. Je suis nue sous le drap. Et remontent les souvenirs : le garçon d'étage désolé, débarrassant la table : « Vous n'avez presque rien mangé ! Cela ne vous a pas plu ? » Cette fatigue s'abattant sur moi comme un coup de massue. Julian me soulevant dans ses bras, me portant jusqu'au lit : « Dors bien, mon cœur. »

Si nous avions fait l'amour, mon corps s'en souviendrait ; cela ne nous est arrivé que trois fois.

La première – tiens, tiens – c'était le fameux jour où Roseline Chantelle avait pourri mon émission à Radio-Sourire. Salut, la poétesse ! Julian avait dit : « Il ne faut pas que ce soit par désespoir, après on regrette. » Cela avait été la victoire de l'amour sur le désespoir.

La deuxième – mais voyons donc – avait eu lieu dans ce même hôtel. Cette fois-là victoire sur une blessure d'enfance.

Et la dernière, dans mon studio : l'amour adieu pour ne pas trahir mon fameux serment : « Jamais avec un homme marié. »

Foutaises.

En continuant à aimer Julian et en entretenant l'espoir dans mon cœur, je n'ai cessé de le trahir, ce serment.

Et un peu facile, non, de tout mettre sur le dos du pauvre vagabond ! Qui m'empêchait, moi, de casser un bon coup ?

« Ma seule excuse est que je t'aime. »

Je repousse le drap et me lève. La porte est entrouverte sur le petit salon. Bruit d'eau dans la salle de bains. Est-ce ce bruit qui tient ma souffrance en suspens ? Cet homme sous la douche ?

Vite, je vais tirer les rideaux des deux fenêtres et ouvre grand au soleil. Le froid me pétrifie.

« En avril, ne te découvre pas d'un fil. »

Ne sommes-nous pas le 1er mai ?

– Réveillée ?

L'homme en question vient d'apparaître, serviette autour des reins, très moyen-beau, le visage chiffonné du monsieur puni, relégué sur le canapé du salon, poivre et sel en vrac sur les joues.

– Tu vas prendre froid.

Évitant de poser les yeux sur ma tenue d'Ève, il referme la fenêtre. Et soudain le désir me brûle : tes bras autour de moi. Toi en moi.

Jamais trois sans quatre ?

Si oui, il ne s'agit pas de rater la quatrième.

D'abord, savoir que l'amour ne sera plus jamais la découverte de la première fois, la guérison de la deuxième, la déchirure de la troisième.

Un point commun entre les trois : c'est toujours moi qui ai pris les devants. Si je m'en souviens bien, il est même arrivé à Julian de se faire prier.

Je lui tourne le dos et vais me remettre au lit. Il me regarde, étonné.

– Tu as envie de dormir encore un peu ?

De la tête et des yeux, je réponds par un non énergique.

Il fait un pas vers le téléphone.

– Alors veux-tu que je commande le petit déjeuner ? Qu'est-ce qui te ferait plaisir ? Tu n'as rien pris hier, tu dois mourir de faim.

C'est ça, plaisir... mourir... ça me va. Je ne réponds pas pour le petit déjeuner, me contentant de l'appeler des yeux. Il s'arrête près du lit.

COMPRENDS...

... que ce matin je n'ai rien à faire de l'amour courtois, de la déférence, d'une rose sur un plateau. Je veux le pirate, le corsaire résolu à s'emparer coûte que coûte de la belle. J'ai besoin, Julian, que tu forces mes doutes, fasses éclater mes scrupules, qu'envers et contre tout, contre toutes, sans me demander mon avis, tu me veuilles, tu m'emportes.

Et comme décidément cet homme trop bien élevé ne comprend rien, je cache mon visage sous le drap, jeu bien connu des petits quand ils veulent être mangés.

Loup y es-tu ? Entends-tu ? Que vois-tu ?

Il a entendu. Rabattu le drap et vu. Laissé tomber sa serviette et montré qu'il y était. Comme un pirate, il est monté à l'abordage, il a mis le feu partout. Comme le plus pervers des corsaires, il a obligé sa victime à le supplier de venir. Il a tout noyé sous le plaisir, bu mon âme avec ses lèvres et, dans un moment d'égarement, lui le simple mortel échoué sur la grève, moi l'éternelle sirène, il m'a même demandée en mariage.

Plus tard, nous savourions un brunch sur le balcon, réparant nos forces après – restons en Amérique – notre « Resurrection party » commune, le portable de Julian a sonné.

Viviane ?

Il est rentré dans la chambre pour répondre.

J'ai décidé que, si un jour je lui accordais ma main, ce qui restait à voir, j'exigerais un serment mutuel fait devant M. le maire afin que les amis en soient tous avertis.

Lorsque l'instrument maudit se manifesterait, nous nous engagerions à être les rois des malpolis, non seulement en ne nous isolant pas pour répondre, mais par-dessus le marché en mettant le haut-parleur, afin qu'une totale transparence règne sur l'interlocuteur-surprise.

Ce n'était pas Viviane mais le rédacteur en chef de France 3. Julian est revenu sur le balcon, haut-parleur en action.

Depuis la veille, Germain Labauville essayait en vain de me joindre : « Bon Dieu, pourquoi elle ne me rappelle pas ? Sais-tu où elle se cache ? »

– Avec moi et la mer est haute, a répondu mon prétendant. Je te la passe.

Bon début pour la transparence.

La première partie de l'engueulade a porté sur une certaine Brune, ou Prune, une tigresse entre les griffes de laquelle Hélène Lepic avait craché le morceau tandis que la Chantelle lui rappelait à grands cris sa promesse de la faire venir sur le plateau pour parler poésie.

Il se trouvait que le petit ami de l'assistante de Marini avait un projet sur le feu qui ressemblait au mien : si le mien était retenu, le sien capotait.

Rêve contre rêve ?

Un sourire m'a traversée : merci, Brune, Prune, mon amie. Sans ton œil d'aigle, ton instinct maraboutesque, c'était le mien qui explosait.

A suivi un couplet bassement terre à terre sur les gros sous. Est-ce que j'imaginais que le numéro zéro n'avait rien coûté à la chaîne ? Avais-je oublié qu'il devait ouvrir la série ? Était-il dans mes intentions de ruiner son budget ?

Car, à moins que je ne tienne à appâter mes futurs fans avec le spectacle d'un studio en folie en train de s'entr'égorger autour d'une aliénée, l'enregistrement était bon à jeter à la poubelle.

Ce qui d'ailleurs était chose faite.

En conséquence, j'étais priée de rappliquer lundi dès l'aube avec mon carton à idées, car si on voulait être prêts pour le 4 juillet, on n'avait pas intérêt à traîner.

« À part ça, ma petite Julie, vous avez réussi à me faire chialer comme un gamin avec votre apprenti pompier. J'aurais voulu que vous soyez à la régie : ce silence... cette tension... Pourriez-vous me dire comment vous faites pour que le courage, la reconnaissance, l'idéal, ces machins ringards dont on n'a plus le droit de parler, vous explosent à la figure comme du bonheur pur ? »

J'ai rendu son portable à Julian dont les yeux de Pygmalion brillaient éhontément de fierté et pleuré sur mes œufs brouillés, cette fabuleuse engueulade, mes illusions revenues et ma très grande faute.

Car par ma légèreté, ma confiance mal placée de perpétuelle étudiante, j'avais condamné Serge et sa Geneviève à rester dans la photo en noir et blanc des anonymes Tout le Monde.

25.

– Ça progresse dans le bon sens, m'annonce Bobine, l'œil brillant. Il m'a présentée à sa mère. Hypercool, l'Yvonne. Deux rangs de perles sur grosse poitrine, enfin tu vois, le confort là aussi. Maison-gentilhommière. Au rez-de-chaussée : salon, salle à manger, cuisine, office, toilettes. Le premier étage au seul usage de la reine mère. Gérard dispose du second : quatre chambres... de quoi voir venir. Douche-toilettes. Il a gardé tous ses jouets d'enfant, tu verrais ça, un vrai musée. Je te parle pas du jardin, disons plutôt un parc. On a déjeuné sous le tilleul centenaire. Rôti-macédoine de légumes. Frais, les légumes, avec salade cuite comme autrefois ; au prix de la salade... Et c'est Gérard qui faisait le service, debout tout le temps.

– Et le roi père ?

– Je t'ai pas dit ? Mort d'un coup : clac ! Le cœur. Grosse assurance sur la vie. C'est pas que je sois pas triste pour lui mais ça vaut mieux que de mourir de chaleur dans un fauteuil roulant, non ?

Avec application, Bobine découpe sa pizza « quatre fromages » dont elle s'applique à mâcher longuement chaque bouchée. Ignorant son œil réprobateur, j'ai choisi pour ma part de bonnes grasses lasagnes que j'agrémente de parmesan. Une heure trente. Nous nous chauffons les gambettes à la terrasse de l'Italien. C'est miss Yin-Yang qui régale. En route vers le pays de Cocagne ?

– Et Edwige, qu'est-ce qu'elle dit de tout ça ?

Bobine lâche un petit rire.

– Tout arrive ! Même si c'est pas elle qui m'a présenté le coussin, elle a l'air d'apprécier. Je le lui ai déjà amené trois fois. Pas un souffle quand il m'appelle Bobine. Et jeudi prochain, l'Ascension, présentation des belles-mamans au Bon Petit Coin, nappe blanche et bague de fiançailles à l'horizon. Si tout va bien, on pourrait se marier en juillet.

– Si vite ? Ça fait combien de temps que vous vous connaissez ?

Regard assassin. Clac ! là aussi.

– Ce qui compte c'est que ça fait quinze ans qu'on s'attend.

Elle pose sa fourchette, se penche vers moi, murmure en roulant des yeux terribles.

– Et si tu veux savoir, ça y est !

Je réprime un rire, désigne son décolleté. Une nouveauté : tenue entre un et deux. Semi-torride. On s'enhardit.

– Ils lui ont plu ?

– Oh ! là, là ! presque trop. Il n'en avait que pour eux.

– Tu lui as dit ?

L'indignation empourpre le visage de Shéhérazade.

– Que c'était du faux ? C'est quoi, ça... Tu veux que je me coule ?

Zabelle psalmodierait : « Il l'aime pour son corps... » Je risque :

– Et... par ailleurs ?

Aucune d'entre nous n'ignore que depuis la mort du doux Li Cheng qui vénérait notre Bobine telle qu'elle était, ça bloque « par ailleurs ».

– Attends ! Faut pas demander tout à la fois. Déjà, j'ai plus besoin de fermer les rideaux, le reste viendra en son temps, patience...

Soudain, les images d'une certaine matinée à La Baule me reviennent. C'est que j'ai seulement hâte pour toi, Bobinette.

– Et tu nous le présentes quand, ton coussin ?

Un friselis de gêne passe. Soupir.

– Il a pas trop envie, tu vois. Toi à la rigueur...

– Ah bon ? Peut-on savoir pourquoi ?

– C'est à cause de la Chaloupe. Je lui ai raconté. Ça lui fait peur que les « grandes » aient pas peur. D'ailleurs, il veut plus que j'aille là-bas.

Je réprime mon irritation. Après tout, Julian ne m'a-t-il pas lui aussi demandé de laisser passer quelque temps avant de retourner dans notre maison ? Mais pas à cause des « grandes » qu'au contraire il souhaitait rencontrer.

– Qui te dit qu'elles n'ont pas peur ? Elles résistent, c'est tout.

Bobine hoche la tête, m'adresse son regard le plus « Marcel ».

– Et toi, t'y vas toujours ?

– J'y serai même jeudi prochain. Figure-toi que Matthieu nous débarque pour l'Ascension.

– Matthieu ? Dis donc, Zabelle doit être contente. J'espère que ce coup-ci il va l'appeler « maman ».

Elle fait un bref calcul mental.

– Jeudi... Tu vois, même si j'avais voulu venir, j'aurais pas pu. C'est le jour de la bague au Bon Petit Coin, s'absout-elle. Mais je serais Zabelle, ça m'inquiéterait d'emmener mon fils là-bas.

Moi aussi, mais je ne le dis pas.

– On n'y restera que le temps d'inaugurer la plate. Rappelle-toi, elle le lui a promis.

– Et moi, elle m'avait promis qu'on se quitterait jamais, gémit Bobine. Pourquoi y a plus que toi qui m'appelles ? Moi, je veux qu'on continue à se voir toutes.

– Je te rappellerai que c'est pour se voir toutes qu'on a acheté la Chaloupe. À Nantes, on est plutôt occupées.

J'ai répondu avec froideur. Mais c'est un peu facile de demander tout et son contraire : nous lâcher pour les ennuis et vouloir nous garder pour le fun.

Bobine a courbé les épaules. Deviendrais-tu dure, Julie ? Par la faute d'une certaine Viviane, ensorceleuse de réputation, dont dépend le sort de Julian ? Peut-être le mien ; ça n'est pas encore décidé.

– Si je laisse quelque temps ma queue dans le coffre, ça vous gêne ? demande Bobine, misérable.

– Énormément ! Elle prend toute la place.

Mon sourire ne la rassure pas.

– Et ma chambre ? Peut-être que vous en avez besoin ? Maman me tanne pour que je la vide tout de suite.

Si j'étais vraiment méchante, je parlerais de Barbara qui l'échangerait volontiers avec le fumoir qu'elle occupe lorsque Brune la retient pour dormir.

– Ta chambre ? On n'y a pas encore pensé.

Elle pousse un gros soupir de soulagement.

– Si tu veux, je t'offre aussi le dessert, annonce-t-elle.

J'ai commandé juste un café, elle, une théière d'eau chaude où elle a glissé la boule de thé préparée à la Baguette Magique. Dans le meilleur des cas, on ne lui compterait pas l'eau.

Le bistro se vidait. Le soleil était si léger. Mai aurait pu être si doux.

– Je peux te demander juste un petit conseil ? a repris Bobine.

– Vas-y.

– Gérard voudrait que je lâche ma boutique. Il dit qu'il gagne assez pour me permettre d'arrêter de travailler. T'en penses ?

J'en pense qu'il commence à m'énerver sérieusement, le coussin. Après avoir interdit la Chaloupe à Bobine, voilà qu'il voudrait la priver de son magasin où elle se sent comme un poisson chinois dans une eau bien tempérée.

– Mais c'est à toi de décider, Bobine. À personne d'autre. N'as-tu pas toujours rêvé d'un mari, d'une maison et d'enfants ? C'est ce que te propose ton Gérard. En se réservant l'exclusivité de la bénéficiaire.

– Moi, je me dis qu'en attendant les enfants je pourrais continuer un petit peu...

Elle a sorti la boule de l'eau et l'a approchée de mon nez.

– Allez ! Devine.

Malgré d'innombrables leçons, je suis restée incapable de m'y reconnaître dans ses « crus ». Sortie du Lipton et du très fameux Darjeeling, je suis nulle.

– « Rêve d'argent », a-t-elle annoncé avec ferveur. Châtaigne, marron et orge grillée. C'est pas de la frime, tu sais, la Chine, j'aime. Et même si la mère de Gérard est extra, je me vois pas écosser des petits pois avec elle toute la journée. Je t'ai dit qu'elle était à la retraite ?

– Pense aussi que si tu abandonnes ta Baguette, tu seras obligée de tendre la main. Ça n'est jamais vraiment grisant.

– Ça, c'est pas ce qui me gêne ; avec la misère que je gagne, j'ai jamais arrêté, a-t-elle remarqué avec son humour ahurissant.

Elle a versé « Nuage d'argent » dans sa tasse, y a trempé les lèvres, s'est brusquement souvenue que j'avais une vie moi aussi.

– Et toi, Julie ? Ça va, au moins ?

– Apprends que ça marche à France 3. J'ai donné ma démission à Brissac hier. Surprise : il a eu l'air réellement triste. Il m'a souhaité « Bon vent ». Alors que j'attendais ce moment avec impatience, pour un peu il m'aurait fait de la peine.

« Mais ce qui m'a fait le plus plaisir, c'est que Frédéric, mon assistant, a été engagé par la chaîne pour la préparation de ce premier numéro.

« Lorsque j'ai annoncé la nouvelle à mes parents, maman a dit avec un brin d'inquiétude : " Tu es sûre que ça va marcher ? "

« Papa : " Avec une fille vedette, je fais enfin pouvoir songer à la retraite. "

– Et ton Julian ? tu m'avais dit qu'il viendrait pour le numéro zéro ? demande Bobine.

De ce très fameux numéro, je n'ai rien raconté à mon amie. Trop compliqué. Julian, itou.

Mais voici qu'une odeur de bisque de langoustine flotte sur la pizzeria.

– Il est venu. Et après, nous sommes allés à La Baule. J'y ai découvert quelque chose qui pourra peut-être t'aider dans tes futurs choix.

– C'est quoi ? demande Bobine avidement.

– Écoute bien. Une seule baignoire dans la salle de bains... Une eau tiède avec de la mousse. Toi dedans jusqu'au cou. Et, dans la pièce voisine, la voix de l'homme que tu aimes. Un petit goût de paradis.

26.

Marcel est allé chercher son ami en notre compagnie à l'aéroport de Nantes-Atlantique, une pancarte « Bienvenue » en forme de cœur sur son débardeur.

Ayant repéré l'enfant avant nous, au bout du long couloir des arrivées, il est parti comme une torpille, fauchant au passage une petite famille japonaise sur laquelle Brune s'est courbée avec moult excuses.

À l'issue de folles embrassades, Matthieu, également par terre, s'est relevé. Son regard bleu s'est attardé sur la jambe gauche de Zabelle et il a demandé.

– Ça va mieux, maman ?

Nous avons été soulagées qu'il prononce d'emblée le nom approprié.

Chacune des présentes a eu droit à un double bisou. Il n'a pas semblé remarquer qu'une mousquetaire manquait à l'appel. J'en connais une qui en aurait fait une maladie.

Le programme était de nous rendre directement à la Chaloupe où aurait lieu demain l'inauguration de la plate. Inauguration ? Nous soupçonnions Zabelle d'avoir pratiqué quelques essais avant de tenir la promesse faite à son fils. Quoi qu'il en soit, de nous quatre, c'était certainement elle qui avait le plus d'expérience à la barre.

Nous regagnerions Nantes dès vendredi matin où, en ce long week-end d'Ascension, de nombreuses réjouissances attendaient Matthieu, dont le clou serait Marcel, hébergé au Septième Ciel avec l'assentiment de sa maîtresse.

Le débardeur n'étant pas autorisé à monter avec lui sur le gros cube de Zabelle, Matthieu a préféré continuer le voyage avec nous dans le 4 x 4 de la Yankee.

Arrivé à la maison, il a commencé par vérifier ses repères : cachette sous l'escalier, buffet au ballon de foot, chambre à coucher et, au bout du couloir, la pièce « zarbi » où il avait découvert le talisman, déclenchant les diverses péripéties que l'on sait.

Sans entrer dans le détail, nous lui avons montré que celle-ci avait été vidée.

– Et qui va y dormir maintenant ? a-t-il demandé.

– Comme tu vois, le lit n'est pas encore arrivé, on verra ça plus tard, a répondu sobrement Brune.

Il a voulu ensuite descendre à la plage où Zabelle, passée le matin, avait débâché la plate, rempli la nourrice d'essence, vérifié le moteur, préparé rames et gilets de sauvetage. Elle nous avait proposé de participer à la balade. Nous avions décliné, lui laissant le bonheur du tête-à-tête avec son fils.

Celui-ci a désigné nos prénoms inscrits sur le bleu de la coque.

– Est-ce qu'on pourra ajouter Matthieu ?

– Mais quelle bonne idée ! s'est exclamée Zabelle. Si tu veux, c'est même toi qui le peindras.

J'ai pensé : À la place du prénom de Bobine ?

Restait à espérer que le ciel leur serait favorable. De l'autre côté de la Loire, saint Denis nous a dit que c'était bien parti.

« Cela n'inquiète pas Zabelle d'emmener Matthieu là-bas ? » avait demandé Bobine.

Durant le dîner, pris sur la terrasse, le bonheur de l'enfant d'être là, ses rires, son insouciance, ont ramené la lumière sur la Chaloupe. Il nous a semblé être revenues aux jours bénis du début.

Il est onze heures. Les garçons sont montés dormir « comme d'hab » au royaume de la décoratrice qui a pris des airs de martyre alors qu'elle avait tout prévu à cet effet.

Des accents techno font trembler le plafond. Marcel, plutôt musique soul comme la Yankee, n'a pas l'air de s'en plaindre. Il semblerait même qu'on danse là-haut.

Dans le salon, nous sirotons un godet d'alcool de poire, caché à notre intention dans le sac du voyageur. Pas de théière sur la table.

– Alors comme ça, notre Bobine se marie ? s'étonne Zabelle. Tu crois que c'est du sérieux cette fois, Julie ?

Avec l'autorisation de l'intéressée, j'ai tout raconté de Gérard à mes amies, faisant seulement l'impasse sur la tiédeur des sentiments de celui-ci à leur égard.

– La bague de fiançailles est pour demain, épousailles en juillet.

– Épouser un coussin, pas très grisant ! remarque Zabelle en faisant la grimace.

– N'oublie pas que Bobine cherche le confort, pas l'ivresse, intervient Brune.

– Moi, ce qui me turlupine, c'est que son Gérard lui demande d'arrêter de travailler, dis-je. La Chine va lui manquer.

– Même si c'est moi qui les lui ai offerts, ce qui me grattouille, c'est qu'il passe sa vie sur ses seins, observe Zabelle. Le Gérarounet chercherait-il la mère ?

– Il l'a déjà : avec parc et gentilhommière.

Zabelle sort de sa poche la boîte de cigarillos trouvée dans le sac de Matthieu avec la Williamine.

– Finalement, ça tombe bien qu'elle ait décidé de vendre. Rappelez-vous que les conjoints ne sont pas prévus dans le règlement. Qu'aurions-nous fait de son Gérard ?

Elle sort un cigare.

– À propos de règlement, OK pour quelques taffes ?

Cette voix soudain trop détachée, cette fêlure, me rappellent de mauvais souvenirs. À Brune également qui me consulte du regard.

– Si ce n'est que quelques-unes...

Zabelle allume le fruit interdit, aspire une longue bouffée.

– Puisqu'on parle mariage, je vous la donne en mille : le bruit court que Fabrice serait de retour à Nantes et que c'est recollé avec Marie-Agnès. Finalement, j'ai gagné.

En se sacrifiant ?

La déception m'emplit. Fabrice qui l'aimait tant a donc fini par céder à son père. Comme il est difficile de rester fidèle à soi-même. Et que dire pour consoler Zabelle ? Je ne trouve pas les mots.

Brune, si.

Elle tend deux doigts écartés vers le cigarillo.

– Tu prêtes ?

Voici deux ans que, sur ordre de la mouche drosophile, objet principal de ses études, notre scientifique a cessé de fumer.

Avec un regard étonné, Zabelle transmet. Brune tire à son tour quelques taffes puis lui rend l'objet.

Elles se sourient : message de solidarité passé.

– Puisque nous en sommes aux confidences, sachez que j'ai fait une touche, annonce Brune en s'étalant voluptueusement sur le canapé.

Là, elle y va encore plus fort. Sa vie privée ? Sujet tabou. Nous ne lui connaissons que Marcel. En tout cas, le but est atteint : Zabelle semble en avoir oublié le sujet précédent.

– Une touche ? Toi ?

– Tu m'en crois incapable ?

Brune se tourne vers moi.

– Quelqu'un que tu connais, Julie. Ça s'est passé lors d'un numéro zéro qui comptera pour mille dans les annales de France 3.

Un nom me vient tout de suite à l'esprit : Xavier.

Lorsque, entraînée de force par Julian, j'avais quitté le terrain, il s'agrippait de toutes ses forces à Brune pour l'empêcher d'étrangler Hélène Lepic.

– Xavier Baupin ?

Brune rit.

– Lui ? Ce serait difficile. Non, ton Alix Marini, très chère. Après la foire d'empoigne, on est allé se requinquer devant une bonne bouffe. Rien de tel que de commencer par la bagarre. Plus doux est le rapprochement. Tu n'as pas remarqué ?

Je constate piteusement : « Moi, la bagarre vient plutôt après le rapprochement et c'est pas doux du tout. »

Cette fois, c'est ma voix qui a flanché.

– Et où c'était, cette bonne bouffe ? demande Zabelle, variant les sujets à son tour.

– Un bistro à poisson dans le coin. À quatre. Ton trésorier, Julie, s'était rajouté avec son trésor.

Là, je suis larguée.

– Le trésor de Xavier ?

Brune écarquille des yeux incrédules.

– Ne me dis pas que tu ne savais pas ? Son petit ami, voyons !

Qui, à Radio-Sourire, avait parlé de rire sanglot ? Celui qui m'a saisie était de ces eaux-là. Un petit ami, mon dévoué chevalier servant ? On pouvait dire que j'avais l'œil. Comme pour la dévouée Hélène Lepic...

Quant à Julian, chapeau ! Quel tact ! Quelle élégance ! Pas un mot du trésor lorsque je lui avais balancé que j'aurais volontiers partagé mon lit avec Xavier.

Et ce pincement au cœur, ce tremblant regret, m'apprenait tout simplement que Bobine n'était pas la seule à vouloir tout et son contraire.

Nous étions dans l'escalier, en route pour nous coucher, quand le portable de Zabelle a sonné. Qui pouvait appeler si tard ? Mauvais, forcément mauvais.

Nous nous sommes arrêtées. Zabelle n'a prononcé que quelques mots : « Oui... je vois... Pourquoi ?... On va y penser, merci. »

Elle a remis le portable dans sa poche et elle est tombée sur une marche. Brune et moi l'avons imitée, un peu plus bas. Au temps de Cybèle, déjà, il n'y avait pas que le dessous de l'escalier à être lieu de confidences.

La voix lourde de chagrin, elle a dit : « Le docteur Fleury est mort lundi dernier. »

La tristesse est montée en moi. Et les souvenirs. Brune a entouré mes épaules de son bras. Nous regardions toutes le coffre aux queues de billard. Alors, adieu, maître ?

– Jocelyn savait que nous étions ici, il a vu la lumière, a repris Zabelle. Il nous conseille de ne plus venir pendant quelque temps. Quand je lui ai demandé pourquoi, il a eu une drôle de réponse.

Elle s'est interrompue et elle a levé des yeux inquiets vers la chambre où la musique s'était éteinte.

– Il a dit : « Maintenant que le docteur est parti, il n'y aura plus personne pour la retenir. »

J'ai entendu des accents d'orgue.

27.

Peggy Lassalle ?

Disparue d'Ancenis au moment où Cybèle avait été mise en vente ? La folledingue ?

« Sachez que je ferai tout pour vous aider. »

En avouant enfin connaître la « femme en noir », nous avertissant du danger, Jocelyn tenait sa promesse.

Dégagez !

– Qu'est-ce qu'on fait ? ai-je demandé.

– Tu veux vendre ? a aboyé Zabelle.

J'ai haussé les épaules. Elle a effleuré ma tête d'une caresse.

– Pardonne-moi, Julietton. Mais tu vois, la part de Bobine plus la tienne, ça serait au-dessus de mes moyens.

Je n'ai pas répondu. Parfois, l'humour peut peser des tonnes.

– Je propose d'écouter Jocelyn et de ne pas nous attarder ici, a dit Brune. Sitôt après la balade sur l'eau, demain, vous rentrerez à Nantes. Je vous rejoindrai un peu plus tard, j'ai une ou deux personnes à voir.

– Noms, prénoms, qualités ? a crâné Zabelle.

– Deux préparateurs en décoctions magiques : Joson et Lepape. Si c'est de Peggy que Jocelyn voulait parler, ils doivent la connaître eux aussi. Et j'ai l'intention de la retrouver. N'oubliez pas que je n'ai fréquenté ni Cybèle ni Violaine ; à moi, elle n'a pas de raison d'en vouloir.

Brune croyait-elle vraiment à ce qu'elle disait ?

Nous nous sommes relevées. Alors que nous arrivions dans le couloir, elle m'a désigné la chambre de Zabelle.

– Puisque c'est la nuit des dortoirs, veux-tu que je vienne dormir avec toi, Julie ? Il me semble que tu as un grand lit.

Le cigare... le lit... C'était aussi la nuit du partage.

Le temps est superbe, salué à grands coups de cloche par saint Denis. C'est jour de confirmation au bourg. L'évêque sera présent. Autrefois, on appelait la cérémonie « communion solennelle », j'aimais mieux.

Jour de confirmation aussi entre Bobine et son Gérard au Bon Petit Coin.

« Tu me tiens au courant », m'a-t-elle fait promettre.

Je ne vais quand même pas lui gâcher la fête en lui apprenant la mort du docteur Fleury !...

... ni la venue de Barbara, conviée par Brune à déjeuner ; je comprendrai bientôt pourquoi.

Vêtue d'un survêt rose, longue tresse entremêlée d'un ruban flamboyant, superbe comme à son habitude, Zabelle prépare charcutailles et autres gourmandises pour le pique-nique. Matthieu a déjà mis son gilet de sauvetage. Il tente vainement d'en enfiler un à Marcel.

– Inutile, il reste là, décide Brune.

– Mais pourquoi ? Tu m'avais promis que je l'aurais tout le temps, proteste l'enfant.

– Avec exception pour la Sauterelle. Elle est trop grande et il est trop curieux. Vous risqueriez de me le perdre.

C'est sur l'île ainsi nommée que feront escale les plaisanciers. Proche de la nôtre, beaucoup plus longue, l'île de la Sauterelle est accessible par la route à marée basse et inhabitée depuis qu'un drame s'y est produit. Un Belge fortuné avait fait le projet d'y construire un hôtel. Les travaux étaient bien avancés lorsqu'un jour de colère la Loire avait fait chavirer la barque qui emmenait des visiteurs. Bilan : plusieurs noyés. Tout avait été arrêté.

Ne reste qu'une caracasse de béton et d'acier. On dit qu'un clochard y a élu domicile. À marée basse, il se rend au ravitaillement à Mauves.

Il est deux heures. Brune et moi sommes descendues sur la plage pour agiter nos mouchoirs. Nous aurions dû en prévoir un pour Marcel qui pleure à fendre l'âme en voyant Matthieu prêt à monter dans la plate.

Au dernier moment, celui-ci retire sa casquette et l'enfonce sur la tête du débardeur.

– Tu me la gardes. À tout'.

Avant d'embarquer, Zabelle nous montre le portable qu'elle glisse dans son gilet.

– Vous m'appelez au cas où. On essaiera de ne pas rentrer trop tard.

Le moteur démarre au quart de tour. C'est sous le banc où s'est assis Matthieu que Bobine avait trouvé la dagyde.

J'entends à nouveau une musique d'orgue.

Puis deux heures sonnent à Saint-Denis. J'ai compris pourquoi Brune avait invité Barbara. Sa mère, Annaïck Thomas, n'avait-elle pas été employée à Cybèle durant de longues années ?

Pour commencer, Brune a annoncé à sa protégée la mort du docteur Fleury.

– Maman va être triste. Lui, elle l'aimait bien.

Seul et unique commentaire.

Lorsque Brune lui a parlé de l'agence de voyages, déception. Annaïck avait déjà rendu son tablier à l'époque où Violaine y travaillait. Peggy ? Le nom ne disait rien à Barbara.

L'*Aventurine* ? Ça oui. Tout le monde à Mauves connaissait le bateau. Il avait de l'argent à dépenser, le docteur Fleury ! Violaine partait souvent avec son Australien.

– Tu le connaissais ?

– Pas vraiment. Plutôt beau gars.

– Sais-tu à qui a été vendu le bateau ?

– Aucune idée, mais je pourrai me renseigner.

Pour Brune, Barbara est prête à remuer ciel et terre. Et les bruits qui courent sur la Chaloupe, le désamour du bourg à notre égard, elle s'en balance. Ils la pousseraient même à nous en aimer davantage.

Nous achevons de prendre le café au salon. Une leçon de billard est prévue ensuite au Café des Rencontres pour Brune et son élève. Je resterai à la maison et les avertirai dès le retour des navigateurs.

Pressée de jouer, Barbara se lève lorsque Marcel, qui n'a guère quitté la plage depuis l'embarquement, entre au grand galop, la casquette de Matthieu dans la gueule. Avec moult gémissements, il vient la poser aux pieds de sa maîtresse. Aurait-il entendu le mot « billard » ?

Lorsqu'on le prononce, ou que l'on ouvre le coffre, il sait qu'il ne sera pas de la partie et ne manque jamais de manifester sa désapprobation. Aujourd'hui, on peut parler de désespoir.

Je remets la casquette sur sa tête.

– Allez, Marcellou. C'est juste pour une heure. Et je reste avec toi.

Les gémissements redoublent. Marcel secoue la tête pour faire tomber la casquette, retourne sur la terrasse, revient quelques secondes plus tard, monte sur le canapé – interdit – et pose cette fois le couvre-chef de Matthieu sur la poitrine de Brune.

– C'est ton copain que tu réclames ? Mais il sera revenu avant nous, le rassure sa maîtresse en le repoussant avec douceur sur le sol.

Voici que le débardeur s'y couche et agite fébrilement les pattes, gémissant de plus belle, franchement rigolo.

– Ce que c'est que l'amour, s'amuse Barbara.

Alors pourquoi n'ai-je pas du tout envie de rire ? Ni Brune dont les sourcils se froncent. Elle se lève brusquement.

– Il cherche à nous dire quelque chose.

Marcel se jette sur elle et prend sa manche pour l'entraîner à l'extérieur.

– Va ! ordonne-t-elle.

Il galope sur le chemin qui mène à la plage. À présent, Brune court. Nous suivons, Barbara et moi.

Loin là-bas, la plate bouchonne dans le courant. On distingue vaguement deux têtes.

Mais on a beau écarquiller les yeux, on ne voit pas l'orange des gilets de sauvetage. Et on a beau tendre l'oreille, on ne perçoit aucun bruit de moteur.

28.

– Les pompiers, vite ! a ordonné Brune.

J'ai foncé vers la maison où nous avions laissé nos portables. C'était comme dans les cauchemars. Vous avez des pieds de flanelle, la sensation de ne pas avancer. Vous voudriez appeler à l'aide, le son ne sort pas.

Le 18 a répondu tout de suite.

– Caserne de Carquefou, j'écoute.

J'ai bégayé : « Deux personnes sont prises dans le courant. Elles vont se noyer. Venez vite. »

– Du calme, madame, du calme. Reprenez votre souffle et indiquez-nous précisément où vous êtes et de quoi il s'agit, a répondu l'homme.

Ce n'était pas une question de calme. C'était ce corset de plomb qui compressait ma poitrine, m'empêchant de respirer.

J'ai expliqué.

– OK, a dit l'homme. Surtout, ne tentez rien. Nous serons là d'ici dix minutes.

Il a raccroché.

Carquefou... La caserne qui avait participé au sauvetage de Geneviève. Serge et Geneviève... Pourquoi le malheur tournait-il en rond ?

Sur la plage, Brune et Barbara hurlaient en faisant des moulinets avec leurs bras. Marcel bondissait en aboyant. La plate m'a semblé s'être encore éloignée.

– Ils arrivent, ai-je dit.

Brune a juste incliné la tête. Son visage semblait taillé dans du granit noir. Barbara a tendu la main vers mon portable.

– Donne. Je vais essayer d'appeler Zabelle.

J'ai donné. Elle a manipulé quelques touches et porté l'appareil à son oreille.

– Rien, a-t-elle constaté. Plus rien. Mort.

Réalisant sa maladresse, elle a dit « Pardon » et m'a rendu mon mobile.

Au loin, on a entendu une sirène, et la hâte et l'espoir ont fait imploser le corset de plomb. Sur le pont, quelques personnes s'étaient arrêtées et regardaient dans notre direction.

Une voiture rouge, suivie d'une plus grande tirant un Zodiac cahotaient sur la sente, dévastant tout sur leur passage. Trois hommes en tenue de plongée ont jailli de la grande. Déjà, le Zodiac était à l'eau. Déjà, il s'élançait dans une gerbe d'éclaboussures argentées. J'avais envie de pleurer.

Le conducteur de la voiture rouge s'est approché de nous, son talkie-walkie à la main.

– Deux personnes à bord, c'est ça ?

– Une mère et son fils, a répondu Brune.

– Gilets de sauvetage ?

– Ils les portaient en embarquant.

Une voiture-ambulance s'est ajoutée aux deux premières. D'autres pompiers en sont sortis. Dans le talkie-walkie, on entendait la voix rude, brève, d'un soldat du feu, d'un soldat de l'eau. Je n'écoutais que mon cœur qui me disait que Zabelle et Matthieu étaient sauvés.

– Tout va bien. Apparemment pas de bobo. On va vous les ramener ainsi que votre barque, a dit le conducteur.

J'ai fondu en larmes. Brune est tombée à genoux et elle a pris Marcel dans ses bras.

– Ton copain, tu vois, eh bien, tu l'as sauvé...

Un hoquet l'a interrompue. Il y a un début à tout. Pour la première fois depuis une si longue amitié, je voyais pleurer la Yankee.

« Soyez discrètes », avait recommandé le maire... Il y avait à présent foule sur le pont.

Des couvertures autour des épaules, Zabelle et Matthieu ont quitté le Zodiac qui est reparti chercher la plate.

Zabelle claquait des dents, livide. Matthieu, en grande conversation avec un sauveteur, semblait plutôt en forme.

– Quand je raconterai ça à papa ! a-t-il dit avant de répondre aux affectueux assauts de Marcel dont il ignorait encore qu'il était un héros.

On les a fait monter dans l'ambulance pour de premiers examens.

Lorsque la plate a été ramenée sur la plage, un pompier en a sorti la nourrice d'essence pour nous la montrer.

– Dites donc, celui qui s'est amusé à ça ne vous a pas fait de cadeau !

Tout le bas du récipient avait été cisaillé.

Un passage par l'hôpital a été décidé pour les rescapés. Barbara voulait suivre, Brune a refusé. C'est à l'hôtel-Dieu, pendant que Matthieu subissait des contrôles divers, que Zabelle nous a raconté ce qui s'était passé.

Ils étaient arrivés sans encombre sur l'île de la Sauterelle où ils avaient décidé de pique-niquer dans les ruines de l'hôtel dont Zabelle avait raconté l'histoire à son fils.

– Quand je serai grand, je le reconstruirai, avait-il décidé. Tu y viendras avec papa.

Après une courte promenade, revenus vers deux heures à l'endroit où ils avaient laissé la barque, Zabelle avait constaté que les gilets de sauvetage ne s'y trouvaient plus : le clochard ? Stupidement, elle avait laissé son portable dans le sien.

Pour ne pas inquiéter Matthieu, elle avait pris la chose à la légère. Sans gilets, ils devraient se montrer plus prudents encore. Voilà tout !

En s'installant dans la plate, elle avait remarqué une odeur d'essence, mais ne s'était pas interrogée davantage. Elle avait hâte d'être rentrée.

Le moteur avait vite donné des signes de faiblesse avant de s'arrêter tout à fait. Une saleté dans le carburateur ? Zabelle avait pompé en vain. La petite mare au fond de la plate lui avait fait comprendre ce qui arrivait : la nourrice, remplie la veille par ses soins, était vide.

L'endroit est connu pour ses courants et ses trous. Le naufrage près de la Sauterelle en témoigne.

Zabelle avait sorti les rames et Matthieu et elle s'étaient mis au travail. Sans résultat. Marée descendante, le fleuve les entraînait. Désespérant d'atteindre la berge, elle avait jeté l'ancre. Inutile. Celle-ci dérapait dans la vase.

Elle a frissonné.

– Là, j'ai commencé à avoir vraiment les jetons.

C'est alors que Matthieu avait entendu les aboiements de Marcel et qu'un peu plus tard ils nous avaient aperçues sur la plage.

– J'ai pensé qu'on allait peut-être bien nous en tirer, a dit Zabelle avec le fameux rire sanglot.

« Cette main-là qui se tendait vers moi... Cette voix-là qui me criait de tenir bon », avait dit Geneviève, les larmes aux yeux.

– Et pendant toute cette galère, vous savez ce que je n'arrêtais pas de me répéter comme une conne ? Plus jamais Paul n'acceptera de me confier le petit.

Elle a regardé les murs blancs de la salle des urgences et elle a ajouté :

– Deux fois en quelques semaines qu'elle m'envoie ici, l'autre. Vous ne trouvez pas que ça commence à bien faire ?

« Maintenant, plus personne ne pourra la retenir », nous avait averties Jocelyn.

29.

C'était d'abord un détail qui avait alerté Bobine : quand Gérard lui avait raconté qu'il avait sucé son pouce jusqu'à l'âge de six ans, comme elle.

Comme elle ? Aucun souvenir de lui avoir confié cette honte.

Ensuite, elle s'était étonnée de le sentir braqué contre Zabelle et Brune, et plus indulgent envers Julie, alors qu'il ne les avait jamais rencontrées ni les unes ni les autres, qu'elle lui avait seulement raconté leur amitié et sa tristesse de devoir renoncer à la maison hantée.

Comme s'il les connaissait.

Elle s'était alors souvenue de son « Pouvez-vous m'aider, mademoiselle ? », lorsqu'il avait, pour la première fois, franchi la porte de la Baguette Magique.

Mademoiselle ?

Ça se voyait donc tellement qu'elle était vieille fille ? D'habitude, ses clients l'appelaient « madame », c'était plus poli. Sans compter l'anneau en poil d'éléphant, cadeau de Li Cheng, qu'elle portait à l'annulaire en souvenir de lui.

Et parlons du désir de Gérard de découvrir le thé ! Là, une franche plaisanterie. Qui n'avait duré que le temps de leur promenade dans ses grands crus. Lorsque le coussin l'avait invitée au restaurant (deux fois), dont l'une chez un Asiatique qu'il n'avait pas du tout eu l'air d'apprécier, il s'était jeté sur du vin. Au Bon Petit Coin, où il avait son rond de serviette, Edwige posait d'autorité le pichet sur la table.

Le pouce, le « mademoiselle », le thé... Cette impression qu'il connaissait tout d'elle sans qu'elle ait rien raconté... Eh bien, tout s'était éclairé mercredi, veille de ses fiançailles, lorsque maman, emportée par l'enthousiasme, avait fait sa bourde.

– Et attends de voir la bague qu'Yvonne va t'offrir : un diamant gros comme un bouchon de carafe.

Yvonne ?

Bobine s'était bel et bien fait piéger. Ce n'était ni le hasard ni le destin qui avait conduit Gérard Salomon à la Baguette Magique, mais le honteux complot de deux mères rêvant de les voir « faire une fin » ensemble.

Sous le choc, elle n'avait rien dit et, prétextant la fatigue, était montée se coucher, comme prévu, dans sa chambre de jeune fille, afin d'être à pied d'œuvre dès le réveil pour le grand jour. Grand jour, ouais...

« Réfléchis », aurait recommandé Julie.

Et toute la nuit, se tournant et retournant dans son lit étroit, elle n'avait fait que ça : se creuser la tête, rouler des idées noires, ruminer sa colère.

Depuis combien de temps maman, qui recevait le soir à dîner dans son boui-boui tous les blaireaux immariables du quartier, lui gardait-elle Gérard au chaud, attendant pour le lui jeter dans les bras un moment de faiblesse ; lorsqu'elle avait été contrainte de lâcher sa part de la Chaloupe par exemple.

Combien de fois avait-elle rencontré Yvonne pour se mettre d'accord, avant la sortie du bouchon de carafe ?

Et ce traître de Gérard avec son prétendu amour du thé. Dire qu'elle lui avait réservé la primeur de ses seins.

Et papa. Mon Dieu, papa !

Ce qui faisait le plus de peine à Bobine était de penser qu'il pouvait avoir, lui aussi, trempé dans le complot. Papa, qui sans jamais le dire autrement qu'avec ses yeux de Marcel, avait toujours été de son côté.

Là, ça l'achevait.

Ah, si seulement elle avait pu en parler à Julie ! Mais Julie dormait paisiblement à la Chaloupe en attendant d'inaugurer la plate avec l'adorable Matthieu.

Qu'avait-elle dit déjà, Julie ?

« Un mari, un toit, des enfants... »

Sans compter le diamant bouchon de carafe...

Quand même.

– Allons, debout, la choute. C'est le grand jour, avait clamé maman, jaillissant dans sa chambre et ouvrant grande la fenêtre, alors que Bobine venait seulement de parvenir à s'endormir.

« Et, s'il te plaît, évite de porter cette horreur, avait-elle ajouté en désignant le poil d'éléphant posé sur la table de nuit.

La première chose que Bobine avait enfilée : ça lui apprendrait !

Pantalon vaste de satin noir, espadrilles assorties, corsage blanc, elle avait revêtu sa tenue n° 2 ainsi qu'une tenue de deuil, en écoutant les cloches de l'Ascension faire vibrer le ciel de Nantes.

À Mauves, l'évêque devait être arrivé : jour de confirmation en l'église Saint-Denis. Et ici, au Bon

Petit Coin, plus modestement, Bobine confirmerait-elle l'engagement pris avec Gérard ? Elle attendait de savoir pour papa avant de prendre sa décision.

Il était presque midi lorsqu'elle s'était glissée dans la cuisine où il s'affairait autour de ses casseroles : œufs en meurette, brochet beurre blanc aux pointes d'asperges, gâteau-surprise.

Elle avait bien remarqué qu'il l'avait embrassée plus fort que d'habitude, mais avant qu'elle ait pu faire la moindre allusion au problème brûlant, voici que débarquait, prétendant passer là par hasard, ah ah, la redoutable Mme Suzy, le gourou de maman.

Bien sûr qu'elle était du complot ! Cartes, boule de cristal, marc de café, elle avait dû sortir le grand jeu avant atterrissage programmé sur le bouchon de carafe. Son regard vers le poil d'éléphant au doigt de Bobine, clamait par quoi les astres l'avaient déjà remplacé.

– Vous prendrez bien une coupe de champagne, madame Suzy ? proposait Edwige, comme s'il était d'usage d'associer son marabout à une fête de fiançailles. Tiens, si Bobine avait su, elle aurait convié Brune.

Sa colère montait.

La bouteille n'était pas ouverte que la reine mère se pointait avec Gérard. Là, c'est Zabelle qui aurait été pliée en quatre en découvrant, au cou du coussin, le ridicule nœud pap' à pois.

Et qu'aurait dit Julie du baiser de Judas échangé par les complices (se rencontrant soi-disant pour la première fois), sacrifiant la chair de leur chair à leurs ambitions de grand-mères. Comme si faire des enfants était le but de la vie.

– Si nous trinquions à ce grand moment, avait proposé maman.

Levant sa coupe, les pensées de Bobine avaient volé à nouveau vers la merveilleuse maison en bord de Loire où cela devait pétiller aussi en l'honneur de Matthieu. Pourvu qu'au moins, à la Chaloupe, on la regrette un tout petit peu.

Après avoir fait bouffer son brushing, Mme Salomon avait entrouvert son sac (bouchon de carafe ?) et s'était tournée vers papa tandis que pap' à pois entremêlait ses doigts moites de trac à ceux de Bobine.

– Mon pauvre mari n'étant plus de ce monde, permettez-moi, cher Robert, de vous demander la main de votre fille.

« Cher Robert »... Hélas, papa était bien dans le coup. Et tandis qu'Edwige rayonnait, que Mme Suzy rassemblait ses ondes en gerbe de mariage, de véritables larmes noyaient les yeux de Bobine, que les autres concombres prenaient pour des larmes de joie.

Bien sûr, « cher Robert » allait accorder à Yvonne la main de sa fille, la bague sortirait du sac, tout le monde applaudirait et une fois de plus maman aurait gagné.

Mais Bobine entendait-elle bien ? Voici que papa prononçait ces mots sublimes.

– Chère Yvonne, il me semble que c'est à ma fille de décider.

Et tandis que, face à une telle audace, Edwige restait pour une fois sans voix, le regard de Robert Toussaint, meilleure toque du quartier et père incomparable, un regard qui tenait davantage d'un chien-loup que de Marcel, lui transmettait le message.

« Prends garde à toi. »

Bobine avait alors lancé ces paroles, venues droit de la Chaloupe, inspirées par Porthos (les ferrets de la reine).

– Ce foutu complot, il date de quand ?

Avec un profond soupir, le coussin s'était dégonflé, Mme Salomon avait retiré la main de son sac, Mme Suzy semblait chercher à lire les cartes au plafond.

– Mais de quel complot veux-tu parler, ma choute ? s'était écriée Edwige. Nous avons seulement voulu donner... un coup de pouce au sort pour qu'il te permette de rencontrer un charmant garçon.

Bobine avait baissé les yeux sur pap' à pois.

Charmant ?

À la réflexion, Gérard n'était pas du tout son type. Son type, c'était Peter Keating, un grand gars, fort, costaud, franc, qui l'emmènerait loin d'une mère qui, avec ses manigances et sa Mme Suzy, commençait à lui rappeler un peu trop une certaine Bertille.

Et soudain, remarquant les gros seins palpitants d'Yvonne sous le corsage de dentelle : flash ! Les seins de la mère. C'était clair. La passion de Gérard pour les siens, ses timides et molles tentatives vers le reste, signifiaient que le coussin cherchait en elle une paire de rechange pour l'avenir.

Et, venu des si belles paroles de Julie : reflash !

« Être dans un bain, une eau tiède et mousseuse, et, dans la pièce voisine, entendre la voix de l'homme que tu aimes : un petit goût de paradis. »

Ouais.

La baignoire était à l'étage d'Yvonne. À celui de Gérard, il n'y avait qu'une douche. Ce qui voulait dire que si elle autorisait le bouchon de carafe à sortir du sac, lorsqu'elle serait dans la mousse, ce ne serait pas la voix du coussin mais celle de sa belle-mère qu'elle entendrait.

Alors, pour le goût de paradis, pardon.

– Mais décidez-vous, ma petite Julie, ordonnait justement celle-ci.

– Avant de me décider, j'ai un aveu à faire à Gérard.

Et Bobine avait tranquillement dégrafé son corsage.

– Collagène. Contenu à vérifier tous les quatre ans.

« Revelation party. »

Quand elle raconterait ça à ses amies !

Avec un cri de déception, le coussin avait donné le signal de la déroute. Le fermoir du sac d'Yvonne avait claqué comme un coup de feu sur la bague que Bobine ne connaîtrait jamais. Mme Boule de Cristal qui n'avait rien su voir sous le corsage s'était éclipsée sur la pointe des pieds.

Maman était allée se coucher.

Papa et Bobine avaient savouré les œufs en meurette, fait honneur au brochet beurre blanc, mangé les pointes d'asperges avec les doigts.

Ils avaient bien ri en se découpant une part du gâteau-surprise, un financier (100 grammes de farine, 100 grammes de beurre, 125 grammes de sucre, 4 blancs d'œufs, tourner les blancs avec le sucre pendant une demi-heure), cuisiné en l'honneur de Mme Bouchon de carafe et de son comptable de fils.

Un petit soupir quand même en direction du poil d'éléphant.

Une grosse fierté en pensant à ce que les mousquetaires diraient de ça.

Un tendre merci à papa qui, avec un sourire mélancolique retraçant quarante années de vie conjugale, avait désigné la porte derrière laquelle maman ruminait sa vengeance.

– Déjà une, tu vois, ça n'a pas été facile à gérer. Mais imagine, toi, avec deux !

30.

– Mon garçon, dit Brune à Marcel avec une infinie tendresse, tu es certainement le chien le plus laid que je connaisse, le gardien le plus nul et, quand tu t'y mets, le plus infâme des manipulateurs. Mais, pour l'intelligence du cœur, alors là, à pedigree ou non, tes copains peuvent tous aller se rhabiller.

– Et moi, j'adopterai tes enfants, s'engage Matthieu, ignorant que l'on a retiré à son sauveur les moyens d'en fabriquer.

De l'hôtel-Dieu – bons de sortie obtenus – nous nous sommes rendus directement chez la Yankee, île Feydeau (eh oui, une île de plus dans ma vie), cinq minutes de marche, une haute maison d'armateur, rue Kervégan.

La première tâche à laquelle s'est livrée Brune a été le savonnage du héros, boueux comme pas permis pour un bâtard souhaitant reconnaissance. L'opération est en train de s'achever par le séchage – instrument à régime doux – des oreilles que le débardeur porte tombantes et mouchetées. Il adore.

« N'oublie pas le dessous », rappelle-t-il à sa maîtresse en penchant la tête de côté avec de brefs aboiements d'extase.

Assis en tailleur près de lui, Matthieu contrôle. Étalées dans les larges fauteuils de rotin à confortables coussins, Zabelle et moi nous requinquons au lait de poule, fabrication yankee, fleurant nettement plus le rhum que le lait.

– Eh bien, quand je raconterai ça à papa ! ne cesse de se réjouir Matthieu au grand dam de sa mère.

J'ai « raconté ça » à Bobine quand elle m'a appelée sur mon portable il y a un instant. En commençant par lui apprendre, tout doux, la mort du docteur Fleury. J'ai conclu en lui annonçant qu'il était fort possible que d'autres parts de la Chaloupe soient bientôt à vendre et raccroché avant qu'elle ait pu me parler de son déjeuner fiançailles. On verra ça demain.

Elle avait l'air tout chose. Mais n'avais-je pas promis de la tenir au courant ?

Le séchage est terminé. Marcel s'ébroue, faisant mousser sa fourrure remise à neuf.

Brune fourrage à présent parmi ses étagères encombrées d'ouvrages illisibles pour le profane. Elle nous revient avec une médaille suspendue à un ruban aux couleurs du drapeau américain.

– Que tout le monde se lève, ordonne-t-elle.

Nous obtempérons.

Elle se courbe vers son chien et passe le ruban à son cou.

– Je te décore du grand cordon des Preux, annonce-t-elle solennellement avant de lui donner l'accolade.

Nous applaudissons à tout rompre.

– C'est quoi, les preux ? interroge Matthieu.

– Les braves des braves.

Perplexe, le brave se tord le cou pour tenter de voir ce qui s'ajoute à son collier.

Nous nous approchons pour admirer.

– Une décoration reçue à mon collège new-yorkais lors d'un concours de saut en hauteur, nous apprend la Yankee. Avec mes longues pattes, j'étais plutôt bonne.

Elle se sert un verre de lait de poule gardé au tiède dans la Thermos et vient prendre place à nos côtés.

Matthieu regarde la médaille avec envie.

– Toi, tu mériterais celle du courage, lui dis-je.

Il hausse les épaules.

– J'ai même pas eu peur. J'étais sûr que le bateau viendrait nous sauver.

– Et, par bonheur, il est bien venu.

– Pas le Zodiac des pompiers, l'autre, me corrige Matthieu.

– Mais quel autre ? Je ne l'ai pas vu, moi, s'étonne Zabelle.

– Le gros blanc avec un nom zarbi. Il est passé quand tu te cachais dans les ruines de l'hôtel.

Un lourd silence s'étend, comme une lame de fond.

– Et ce nom zarbi, tu t'en souviens, trésor ? demande Brune d'une voix pleine de précaution.

– Quelque chose comme l'*Aventure*...

C'est à cet instant précis que l'on a carillonné à la porte, et cela aurait été Peggy, mitraillette au poing, que nous n'en aurions pas été étonnées.

Marcel était déjà dans l'entrée, manifestant sa joie. Brune l'a rejoint.

– Quelle bonne surprise ! s'est-elle exclamée.

Bobine est apparue. Tenue n° 2, tête des plus sales jours.

Matthieu a sauté sur ses pieds pour aller l'embrasser.

Elle a désigné nos verres d'un doigt vengeur.

– Vous buvez quoi, là ?

– Du lait de poule, ma chérie, a répondu Brune. Je t'en sers un verre ? Assieds-toi donc.

Bobine ne s'est pas assise. Sitôt servie, elle a avalé deux grosses gorgées sans nous quitter des yeux et a lancé avec défi.

– Si je vous disais que je me marie plus.

Mon regard a volé vers son doigt. Pas d'autre bague que le poil d'éléphant.

– Pourtant, n'avais-je pas entendu parler de l'homme idéal ? D'un supercoussin ? a risqué Zabelle au bord du rire, subissant déjà l'« effet Bobine ».

– Et moi d'un toit royal abritant de nombreuses chambres d'enfants, a renchéri Brune.

Bobine a avalé deux autres gorgées, puis elle s'est affalée dans un fauteuil.

– Ajoutez la belle-mère qui complotait avec maman pour me faire tout lâcher : vous et la Chine.

– L'association nous honore, ai-je remarqué.

– Et oubliez pas le coussin qui n'en avait que pour mes seins, a-t-elle poursuivi.

– Une réussite, Shéhérazade, une réussite ! Nous n'en démordrons pas, a affirmé Zabelle avec force.

Matthieu a tendu le cou.

– Tiens ! C'est vrai, t'as des poitrines, maintenant ?

Bobine a levé les yeux au ciel, puis elle a tendu son verre pour une seconde tournée ; le goût du rhum devait lui avoir échappé.

– Si je vous disais que je ne vends plus ma part, a-t-elle continué.

Au fond de moi, un sourire s'est ouvert : si je te disais que, sans toi, la Chaloupe ça n'était plus ça.

– L'honnêteté nous oblige à te signaler une nouveauté, a dit Zabelle entre angoisse et jubilation. Il semblerait qu'une certaine *Aventurine* croise dans nos eaux. Il se pourrait même qu'une certaine Peggy soit aux commandes et qu'elle ait essayé, pas plus tard que cet après-midi, de m'envoyer par le fond en sabotant la plate.

– Justement ! a répondu Bobine sombrement.

Nous avons attendu. Elle a toujours aimé à ménager ses effets. À l'école, elle était régulièrement choisie pour ses talents de tragi-comédienne.

– Sur cette barque dont vous parlez, nos quatre noms ne sont-ils pas inscrits ? a-t-elle demandé.

– C'est exact, avons-nous répondu en chœur.

– Et on va y écrire le mien aussi, s'est réjoui Matthieu.

– Et celui de Marcel, je suppose. D'après ce que j'ai compris, il l'a bien mérité, a poursuivi Bobine.

Marcel a vivement approuvé en faisant osciller sa médaille.

– Et si je ne me trompe pas, on est bien jeudi de l'Ascension ? Et, à Mauves, c'était jour de confirmation ?

Elle a terminé son verre comme on boit la ciguë. Cette fois, elle avait dû comprendre pour le rhum.

– Et cette confirmation, c'est bien celle d'une espèce de promesse faite dans son enfance, la confirmation d'une espèce de lien très fort, d'une sorte d'amour...

Ses yeux se sont remplis de larmes.

– Alors, vous allez pas me jeter, quand même !

C'était si bien dit qu'elle nous revenait.

Nous nous sommes précipitées sur elle, son fauteuil a basculé, elle a crié, le vieux monsieur du dessus a protesté avec sa canne, Marcel était fou.

Un moment d'exception.

Et Bobine m'avait donné une sacrée leçon.

On ne demande pas à celui qu'on aime d'être un coussin. Autant tirer les doubles rideaux sur sa vie.

Mais, de ce côté-là, moi, je n'avais rien à craindre.

Confirmé, Julian.

Deuxième partie

Brune

1.

Toute petite, Brune avait appris que Sam, le mari de sa maman, la chanteuse Rosa Davis dont le nom défilait en rose avec des étoiles au fronton du cabaret, n'était pas son vrai papa.

C'était Dick, son grand frère, qui le lui avait révélé.

– Tu vas voir.

Il avait sorti deux crayons de couleur de la boîte, un noir et un brun. « Le noir, c'est Sam. Ton papa, c'est le brun comme toi. C'est pour ça que tu t'appelles de ce nom idiot. »

Ne connaissant pas encore les mots pour soulever la pierre qui était tombée sur son cœur, Brune avait commencé par faire des gribouillages auxquels personne, excepté Dick, ne comprenait rien.

– Ils sont très jolis, tes dessins, Sweet Heart, mais pourquoi tu ne choisis pas des couleurs plus gaies ? s'étonnait sa mère.

Elle devait avoir quatre ans lorsqu'elle avait posé la question à Rosa. Entre-temps, Dick lui avait fait remarquer que tout le monde dans la famille avait la couleur noire et que la sienne s'appelait « métisse ».

– Et où il est, mon papa métis à moi ?

Quand Rosa ne chantait pas, elle riait. Là, elle avait fait les deux à la fois.

– Ton papa n'est pas métis, il est blanc. Et il vole haut dans le ciel.

Élevée dans la religion catholique, Brune en avait conclu que son père était mort et volait avec les anges. Ça lui convenait. Elle l'avait clamé partout et ses dessins s'étaient emplis de bleu et de doré.

C'était encore Dick qui l'avait enfoncée en lui faisant part du résultat de ses espionnages.

– Il est pas mort, ton papa, il est pilote d'avion comme dans *Airport*.

Après avoir regardé le film-catastrophe qui l'avait fait beaucoup trembler, Brune avait à nouveau interrogé sa mère : puisque son papa s'en était tiré, pourquoi ne venait-il pas les serrer dans ses bras et leur faire plein de bisous comme dans *Airport* ?

Ce coup-là, Rosa n'avait pas ri. Elle avait pris la fillette sur ses genoux qu'elle avait si amples qu'elle pouvait y accueillir deux enfants à la fois, Brune et Divine sa nouvelle petite sœur, et elle lui avait fait un récit en forme de conte sauf que celui-là était vrai.

Oui, un ange était bien entré un soir dans son cabaret. Il avait les cheveux comme de l'or, les yeux azur, et portait des ailes sur sa veste. Il pilotait le plus bel avion du monde : le Concorde, un nom qui voulait dire « Entente ». Une belle histoire d'amour s'était nouée entre Rosa et l'ange mais pas pendant longtemps car Rosa avait Sam et Dick et, très loin, dans un pays qui s'appelait la France, l'ange avait lui aussi une femme et des enfants et qu'ils ne voulaient pas se bagarrer comme dans *Dynastie*.

Alors, Rosa avait raccompagné le pilote à son avion et il s'était envolé pour toujours.

– Et moi ? avait protesté Brune que sa mère semblait avoir oubliée dans l'histoire.

– Toi, tu étais la merveilleuse surprise qu'il me laissait.

Le pilote s'appelait Bruno, aussi Rosa l'avait-elle appelée Brune. Elle était devenue la fille chérie de Sam, la sœur de Dick, maintenant celle de Divine, et tout le monde l'aimait beaucoup et était très fier de ses bons résultats à l'école.

Quelques années s'étaient écoulées avant que Brune ne pose à sa mère la question suivante.

– Et pourquoi t'as pas avorté de ce salaud ?

Rosa ne s'était pas départie de son sourire.

– Parce qu'on ne refuse pas un beau cadeau comme toi et que Bruno n'était pas un salaud puisqu'il ignorait ton existence.

Paroles dévastatrices.

Ainsi, le père de Brune ne savait pas qu'à New York grandissait une adolescente qui portait son nom, avait choisi français première langue au collège et tracé une croix sur un minuscule pays bordé de mers dans son atlas.

Ah, comme Brune aurait préféré que le pilote soit au courant, quand bien même il l'aurait sans doute rejetée à cause de sa famille blanche. Elle aurait pu le massacrer tout son soûl comme ses copines dont les pères avaient largué les mères pour des moins grosses et moins usées.

Brune avait l'impression qu'une moitié d'elle se refusait à naître.

Lorsqu'elle avait sommé Rosa de lui donner le nom de famille et l'adresse de son géniteur, la chanteuse qui n'avait jamais rien su refuser à ses enfants – raison pour laquelle Dick passait plus de temps derrière les barreaux qu'à la maison – lui avait opposé un refus catégorique : ni nom ni adresse.

– Mais qu'est-ce que ça te rapporterait, Honey ? N'es-tu pas heureuse ici avec nous ? Sam ne t'a-t-il pas élevée comme son enfant ? Tu ne vas quand même pas, après seize ans, aller mettre le feu chez ton père en Bretagne ?

Bretagne ?

Fouillant dans les affaires de sa mère, Brune avait trouvé une vieille carte postale venant d'une ville appelée Nantes.

Et ce n'était pas par hasard si, après avoir amassé de nombreux diplômes, elle s'était dirigée vers les sciences, plus particulièrement la génétique, et encore plus particulièrement la mouche drosophile, star des laboratoires, pour l'étude de celle-ci.

Pas un hasard si elle avait bataillé pour obtenir un poste en France, plus précisément à Nantes. Et pas un hasard non plus si, tout en appréciant la compagnie des hommes, elle s'en méfiait comme de la peste dès qu'ils posaient la main sur elle.

Imaginez qu'ils s'envolent en lui laissant un beau cadeau ?

Vivre avec Marcel, le plus laid, mais aussi le plus affectueux, le plus intelligent des compagnons, bâtard comme elle, suffisait à son bonheur.

Auquel s'ajoutaient les trois fabuleuses amies qu'elle s'était faites, à Nantes et dont, tant elles étaient différentes, elle n'aurait su dire laquelle elle préférait.

– Aussi, lorsque cet après-midi-là, tandis qu'à l'hôtel-Dieu elle observait au microscope l'appareil génital de sa mouche aux yeux rouges, qui, sur huit semaines de vie, pouvait en passer deux entières à copuler, son portable avait sonné, et qu'elle avait entendu la voix de Rosa annoncer :

– Demain, dix-huit heures, à l'aéroport de Nantes-Atlantique. Tu peux venir me chercher ?

Elle s'était demandé ce qui allait lui tomber sur la tête. Le ciel ?

Très exactement.

2.

Quand Brune m'a appelée, j'ai tout de suite senti que quelque chose n'allait pas.

Une voix trop légère, semblable à certains rires bien connus de Zabelle.

– Tu ne devineras jamais qui vient de débarquer, a-t-elle lancé. Ma mère ! Elle tient absolument à faire votre connaissance, si possible à la Chaloupe. Tu nous organises ça pour dimanche ? Et convoque le soleil, *please*.

Elle avait déjà raccroché.

De Rosa Davis, nous connaissions le beau et large visage et les dents éclatantes, admirés sur les photos dans l'appartement de Brune ; ainsi que sa voix entendue sur CD. Rosa n'était encore jamais venue en France, c'était toujours Brune qui allait lui rendre visite à New York.

– Venez donc avec moi, vous serez nourries-logées, nous proposait-elle chaque fois.

– Un jour, s'engageait sérieusement Zabelle.

– Si tu crois que j'ai les moyens de me payer le voyage, grognait Bobine dans l'espoir d'une offre sonnante et trébuchante.

Pour ma part, je rêvais de découvrir l'Amérique mais aurais préféré la Californie.

Je les ai appelées afin d'organiser le déjeuner-soleil.

– Eh bien, voilà une excellente occasion de renouer avec notre Chaloupe adorée, a constaté Zabelle qui, lors de son dernier passage, en était repartie sous perfusion dans la voiture des pompiers. Je me charge de la boisson.

– Des rouleaux de printemps avec une bonne salade de soja ; et derrière, litchis et ananas, ça t'irait ? a proposé Bobine. Prix de gros, bien sûr.

Ne connaissant pas les goûts de Rosa Davis en matière de diététique chinoise, j'ai négocié des grillades au barbecue. Litchis et ananas seraient parfaits pour le dessert.

– Et on s'habille comment ? a demandé Bobine.

– En juin, évidemment.

J'aime les avant et arrière-saisons. Les longues soirées précédant l'été, lorsque le soleil contrôle encore ses ardeurs. Novembre pourpre et or frappant à la porte de l'hiver.

Le soleil avait répondu à la convocation : il brillait dans un ciel uniformément bleu lorsque nous sommes arrivées aux dix coups sonnés par Saint-Denis.

Zabelle était de lin blanc vêtue. La tenue n° 1 de Bobine dévoilait deux ravissantes coupoles prêtes à bronzer. Je portais une courte jupe dans l'espoir de colorer mes jambes en vue du prochain mariage de ma petite sœur.

En attendant nos Américaines, nous avons dressé un couvert de gala sur la terrasse en nous interrogeant sur le débarquement-surprise de la chanteuse.

– C'est clair. Brune lui a raconté ce qui se passait ici. Elle est venue voir. On serait inquiète à moins, a pronostiqué Zabelle.

– Tu veux dire qu'elle aurait traversé l'Atlantique pour nous ? s'est émue Bobine.

Les braises commençaient à rougeoyer dans le barbecue quand elles sont arrivées, précédées de Marcel tout guilleret. Rosa Davis, enveloppée de tissus de couleurs flamboyantes, notre longue et fine amie dans un body noir. L'une comme l'autre, princières.

D'un geste théâtral, Rosa a ouvert les bras. Nous y sommes allées tour à tour et elle a prononcé sans se tromper le nom de chacune. Bien joué, Brune !

– Sachez que ma mère ne parle pas un mot de français, nous a averties celle-ci d'une voix faussement enjouée. Je traduirai pour les analphabètes.

Pas un mot ? Rosa Davis en connaissait au moins un. Le nom du champagne qu'on lui a versé – cabaret oblige. Elle l'a prononcé avec un bel accent new-yorkais qui nous a fait rire.

À peine avions-nous heurté nos coupes que la Blackie a attaqué.

– Vous ne devinerez jamais ce que ma mère est venue m'annoncer : le sieur Bruno a fait sa réapparition.

Sujet sensible. Un silence prudent a suivi la nouvelle. Bobine, pour qui les pères se paraient d'une auréole depuis que le sien avait empêché son mariage-catastrophe, l'a rompu.

– Mais c'est formidable ! Tu vas enfin connaître ton papa.

Brune a gardé le silence. Zabelle s'est tournée vers Rosa.

– Et de quand date la réapparition ? lui a-t-elle demandé en un anglais parfait.

– Il s'est pointé la semaine dernière au cabaret, a répondu Brune sans laisser à sa mère le temps d'ouvrir la bouche.

Elle s'est tournée vers moi : « Trente-trois ans ! Ça te dit rien, Julie ? Comme pour le pilote du rail de ta Marie-Louise. Sauf que celui du Concorde ne venait pas enlever ma mère, juste lui faire un petit coucou devant une bonne bouteille. »

Puis elle a condescendu à laisser s'exprimer celle-ci, traduisant au fur et à mesure avec moult grimaces.

La vie avait passé, la passion fait long feu, les retrouvailles avaient été chaleureuses. Chacun s'était raconté : famille nombreuse des deux côtés ; pour le travail, Rosa poursuivait sa carrière avec succès ; Bruno, lui, avait pris sa retraite. Il donnait des cours de pilotage pour faire partager son plaisir de voler.

– À l'aéroclub de Loire-Atlantique, a laissé tomber Brune.

Nous sommes restées sans voix. À quelques encablures de la Chaloupe. Près de l'aéroport où nous venions de reconduire Matthieu.

– Ça a décidé ma mère à me livrer le nom du monsieur : Le Plessy. Bruno Le Plessy. Il paraît qu'il vit dans le coin et s'apprête à être grand-père, a conclu Brune.

Durant quelques secondes, on n'a plus entendu que le trottinement affairé de Marcel, sa balle dans la gueule, cherchant Matthieu dans tous les fourrés. Il est même descendu jusqu'à la plage où il l'a longuement appelé.

Rosa continuait à sourire. Et, dans le regard indulgent de la mère sur sa fille, nous qui n'avions jamais connu que la rigoureuse scientifique, nous avons pu entrevoir l'enfant : l'enfant blessée.

C'est une fois de plus Bobine qui a mis les pieds dans le plat. Il y a des occasions où ça arrange tout le monde.

– Et quand « le monsieur » a su pour toi, qu'est-ce qu'il a dit ?

– Il a rien dit parce qu'il a pas su. Ma mère a eu la bonne idée de venir me demander mon avis avant de lui annoncer la nouvelle et faire les présentations.

Elle a quitté brusquement son siège. Elle a ri. Mal.

– Coucou, papa, me voilà ! L'enfant du Concorde. C'est sa petite femme qui sera contente. Peut-être qu'elle me proposera d'être la marraine du gamin à venir. Si c'est une gamine, on pourrait l'appeler Brune.

Nous tournant le dos, elle s'est avancée vers la Loire. Il y a quelques jours, lorsque Zabelle et Matthieu nous en avaient été ramenés sains et saufs par les pompiers, je l'avais vue pleurer pour la première fois.

Ses yeux étaient secs lorsqu'elle nous a fait à nouveau face. Elle est allée vers le plat où la viande était préparée, a retiré le papier qui la protégeait et enfoncé la pique dans l'épaisse côte de bœuf.

Je l'ai rejointe. Elle l'a brandie au-dessus des braises.

– Pour ma mère et pour toi, Julie, c'est bien cuit. Les autres sont saignantes et moi je suis bleue. Comment on s'y retrouve dans ce bazar ?

3.

Grâce à Rosa le repas a été plutôt gai : on a parlé chansons.

Son répertoire était composé de gospel et de soul music. Gospel veut dire « évangile ». Entre le cantique et la *work song*, scandé par les esclaves noirs dans les champs de coton, il est composé de psaumes, un verset en solo, un verset en chœur.

Soul se traduit par âme, une musique proche du blues.

Vague à l'âme ?

Chacune d'entre nous a cité ses dieux.

Pour Rosa, Armstrong et Ray Charles.

M.C. Solaar, le rappeur soft, pour Brune.

L'intégrale de Wagner pour Zabelle.

Et pour les sentimentales de la troupe, un pot-pourri de Piaf, Reggiani, Sardou et compagnie.

– Rosa, *please*, chantez pour nous.

Elle s'y est refusée.

– Il faut qu'elle soit d'humeur, a plaisanté sa fille.

Ne l'était-elle pas malgré son sourire ?

Lorsque son regard s'attardait sur notre maison, il me semblait qu'elle tendait l'oreille vers une autre musique.

Le café pris, elle a demandé à visiter.

Après le salon, le tour des chambres a commencé. On aurait pu qualifier celle de notre décoratrice de translucide : une sorte de bulle irisée dont le clou était le lit à barreaux légers, comme prêt à prendre le large.

Rosa a prononcé quelques mots à l'oreille de Brune qui a approuvé.

Traduction : « Si Zabelle décidait de lancer son style à New York, elle ferait un malheur »

Cri de détresse de Bobine : « Zabou, tu ne vas pas nous faire ça, quand même ! »

Décorée de pacotille chinoise, boules de couleur, ombrelles miniatures, la chambre de notre miss Yin-Yang sentait l'encens et la petite fille qui joue à la marchande. Sur l'oreiller, un pyjama décoré de fleurs de lotus. Rosa s'est contentée de caresser du dos de la main la joue ronde de Bobine en un geste maternel.

Dans mon repaire, elle a désigné le fouillis de papiers, livres et crayons.

– *Journalist ?*

– *For the television*, ai-je répondu fièrement.

Applaudissements nourris des futures spectatrices.

La chambre de Brune était restée en l'état où elle l'avait laissée le matin de l'Ascension, jour de sabotage de la plate : lit défait, vêtements épars, une revue scientifique ouverte sur la table.

– *The room of Bertille*, a-t-elle simplement indiqué à Rosa.

Le regard de la chanteuse, soudain plus intense, nous a appris que Zabelle ne s'était pas trompée. Si Rosa Davis avait traversé l'Atlantique pour annoncer à sa fille le retour de son père, elle était également venue pour parler à celle-ci d'une dénommée Violaine.

Elle est d'abord restée immobile sur le seuil de la pièce, ses larges narines palpitant comme à la recherche d'une ancienne atmosphère, puis elle en a fait lentement le tour, effleurant les murs de la main, paupières baissées.

À l'écoute de ce qu'ils racontaient ?

Brune ne quittait pas sa mère des yeux. Contre mon épaule, je sentais le souffle pressé de Bobine.

La porte refermée sans bruit, la chanteuse a désigné la chambre close au bout du couloir et elle a murmuré quelques mots à l'oreille de sa fille.

Après avoir incliné la tête, celle-ci l'a précédée.

– Allez, nous on redescend, a ordonné Zabelle en faisant demi-tour vers l'escalier.

Bobine et moi ne demandions que ça. Et, de retour sur la terrasse, il nous a semblé pouvoir à nouveau respirer.

J'ai pris place dans une chaise longue. Résigné à l'absence de son ami, Marcel est venu chercher consolation près de moi. Sa médaille de sauveteur avait été attachée à son collier et Brune y avait fait graver son nom à côté du sien. Tout elle ! J'ai envoyé le héros à Zabelle pour qu'elle admire.

– Il revient quand, Matthieu, lui a-t-il demandé.

– Et pourquoi pas cet été ? a-t-elle répondu.

Un double acte de foi. Si son père l'y autorisait après le sabotage de la plate. Si nous étions toujours dans cette baraque de malheur.

Lorsque, à l'angle de celle-ci, l'étroite fenêtre du cabinet de toilette de Violaine s'est ouverte avec un craquement, nous avons toutes les trois sursauté. Le visage de Rosa y est apparu brièvement. Et soudain l'évidence m'a sauté aux yeux.

– Mais bien sûr, ai-je murmuré.

Regardant dans la même direction, Zabelle a approuvé.

– Quelles connes on fait !

Au « gros mot », inhabituel dans la bouche de notre d'Artagnan, Bobine est revenue à la vie.

– On peut savoir ?

J'ai désigné la fenêtre et les caméras.

– Elles ne protègent pas cette entrée-là...

– Cette « entrée » ?

– Pour une personne très mince, a crâné Zabelle. Tu revends ta part, Bobinette ?

– Je te dis merde, a répondu Bobine qui jure encore plus rarement que Zabelle.

Que de fois nous étions-nous demandé par où passait la mystérieuse visiteuse. Sans doute avions-nous la réponse.

Il nous a semblé que Brune et sa mère restaient une éternité là-haut. Écroulée dans son transat, Bobine ne bougeait plus. À la porte de son fumoir, Zabelle tirait sans modération sur un cigarillo. Elles sont enfin réapparues.

– Quoi de neuf ? a lancé Zabelle d'une voix enjouée.

Sans lui répondre, Brune s'est tournée vers moi.

– Julie, crois-tu qu'on ait une chance de trouver Joson chez lui un dimanche ?

– Vu qu'il n'a pas le téléphone, la seule façon de le savoir est de tenter le coup, ai-je répondu.

– Et pourquoi vous voulez voir Joson ? a demandé Bobine.

– Pour parler marabouts, bien sûr.

La Blackie s'est tournée vers sa mère dont le regard s'attardait sur les fenêtres closes de Violaine.

– On y va ?

Et force nous a été de constater que Rosa ne souriait plus.

4.

C'étaient les mots de Jocelyn, appelant Zabelle pour lui annoncer la mort du docteur Fleury, qui avaient alerté Brune.

« Maintenant que le docteur est parti, il n'y aura plus personne pour la retenir. »

« La » ?

Toutes avaient pensé à Peggy bien sûr, avec, pour Brune, une réticence. Trop facile.

Peggy rendue folle par le départ précipité, puis la mort de son « inséparable », et qui ne supportait pas que Cybèle ait été vendue à d'anciennes amies, des femmes qu'elle ne connaissait même pas... À la réflexion, absurde. Et quelles sortes de liens attachaient-ils si fort la directrice de l'agence de tourisme au docteur Fleury ?

Et puis là, à l'instant, passant sa main sur les murs de Bertille, puis sur ceux de Violaine, Rosa avait dit : *« She is there. »*

Elle est là.

Et, dans la tête de Brune, l'idée qu'elle repoussait de toutes ses forces, tellement insoutenable qu'elle n'avait pas envisagé une seule minute d'en parler à ses amies, avait explosé.

Ah ! comme elle souhaitait se tromper ! Et, pour avoir une certitude, il allait lui falloir remonter si loin ! Très exactement à la scène qualifiée d'abominable par le docteur Fleury entre Violaine et sa mère, cette altercation féroce suivie de l'incendie.

« Elles se sont battues. Le feu a pris très vite. »

Et après ?

Violaine était partie pour New York, Bertille s'était suicidée, la maison avait été mise en vente. Point. Comme une noire parenthèse englobant des semaines, des mois. *Idem* pour la mort de Violaine. Où ? Quand ? Maître Jacquin lui-même avait affirmé l'ignorer. Le docteur Fleury avait disparu, emportant son secret.

« *She is there* », avait dit Rosa.

C'était alors que Brune avait décidé d'aller voir celui qui se tenait trop au-dessus de la mêlée pour mentir : Joson.

– En longue blouse grise, le rebouteux préparait ses « cocktails », porte ouverte sur juin. Dans sa tenue flamboyante, Rosa avait illuminé la grotte, jaillissant comme une fleur improbable au cœur des liasses d'herbes séchées. Le courant était passé tout de suite entre la Black américaine et le vieux magicien breton : n'étaient-ils pas de la même race ? Celle de ceux qui « voient » ?

Quant à Marcel, comme lors de sa première visite à Joson, il avait frémi de bonheur et passé son temps collé aux espadrilles de celui-ci.

– Les maisons où un drame s'est produit gardent son empreinte à jamais, avait-il rappelé à Brune après qu'elle lui eut répété les paroles de sa mère. Les cris de ceux qui y ont souffert résonnent dans leurs murs bien longtemps après leur départ.

Cela, elle le savait. Elle était venue chercher du concret.

– Après l'incendie, que s'est-il passé ?

Joson n'avait pu que lui répéter ce qui s'était raconté au bourg à l'époque. Lorsque les pompiers de Carquefou étaient arrivés sur les lieux, appelés par le docteur Fleury, le feu avait été vaincu grâce aux extincteurs. Ils n'avaient trouvé dans la maison que Bertille, indemne mais en état de choc. Le médecin avait emmené Violaine à l'hôpital.

Ce n'était pas son hôtel-Dieu, Brune s'en était assurée depuis belle lurette.

– Violaine était donc brûlée ?

Joson avait soupiré.

– Nul ici ne l'a plus revue. Beaucoup ont pensé que son bel Australien l'avait enlevée.

Si seulement ! Le cœur de Brune s'était serré.

– Que cherches-tu ? avait demandé Joson, la tutoyant pour la première fois.

Elle l'avait regardé aussi loin qu'elle pouvait.

– Ne le savez-vous pas ?

Et il avait simplement baissé ses paupières.

Durant tout l'entretien, Rosa n'avait pas prononcé un mot. Elle ne parlait pas le français, ni Joson l'anglais. Au moment des adieux, sur le seuil de la grotte, la chanteuse avait tendu ses mains vers celles du rebouteux et ils avaient longuement mêlé leur chaleur et leurs regards.

– Que vous êtes-vous raconté de beau ? avait tenté de plaisanter Brune en redescendant le sentier vers la Loire.

D'un geste ample, Rosa avait englobé sa fille et Marcel.

– *Take care, you both.*

Prenez garde, vous deux.

Eux deux ? Le vent s'était levé mais ce n'était pas la soudaine fraîcheur qui avait fait frissonner Brune.

Cinq heures sonnaient à Saint-Denis. À la Chaloupe, on devait attendre leur retour avec impatience. Et ses explications. Moins que jamais, Brune n'était prête à en donner.

– Eh bien, puisqu'il faut faire attention à toi, qu'est-ce que tu dirais d'un tour chez le véto ? avait-elle proposé à Marcel.

Depuis quand n'avait-elle pas revu Jocelyn ? Depuis que Julie leur avait passé la cassette de la fête à Trentemoult où apparaissait le visage de la « femme en noir ».

Il n'avait même pas donné de nouvelles après le sabotage de la plate, ce qui n'avait pas manqué d'indigner Bobine et d'attrister Zabelle.

Si celle-ci et son fils s'en étaient tirés, Jocelyn avait un visage de naufragé. Le présentant à sa mère, Brune avait pensé à ceux dont on raconte qu'en une nuit une grande peur fait blanchir les cheveux.

Une grande peur... « Toi, tu sais », avait-elle pensé.

Atys et Marcel s'étaient retrouvés avec bonheur. Précédant le débardeur soumis, le chat roi l'avait emmené dans son royaume.

– On devrait les réunir plus souvent, avait remarqué Jocelyn avec une feinte gaieté.

– On ne devrait pas rester si longtemps sans se voir, avait répondu Brune sur le même ton.

Jocelyn avait invité les deux femmes à prendre un verre dans son jardinet. Il comprenait l'anglais et Rosa avait fait sa conquête en s'extasiant sur sa collection de cactées. Se doutait-il de la raison pour laquelle Brune était venue ? En bonne joueuse de billard, elle avait décidé d'y aller par la bande.

Après quelques considérations générales, elle avait demandé légèrement :

– Connaissais-tu bien Peggy Lassalle ? Impossible de mettre la main dessus.

Il n'avait pas cillé.

– Je croyais vous avoir dit qu'elle avait vendu son agence. J'ignore où elle est partie. Quant à la connaître bien, non. Elle ne quittait guère Ancenis.

– Et le docteur Fleury ?

« Maintenant que le docteur est parti, plus personne ne pourra “ la ” retenir. »

– Gildas s'intéressait à tout ce qui concernait Violaine.

Par la bande, lui aussi. Avec toutefois, sur le prénom féminin, un léger dérapage que Brune avait feint d'ignorer.

Elle avait préféré ne pas insister. Sa visite ici avait un autre but.

De Violaine, elle n'avait jamais vu que les photos d'adolescente, prises avec ses « suivantes ». Il lui fallait d'urgence découvrir la femme, la « miss » qui travaillait à Ancenys avec Peggy, la fiancée du « bel Australien ».

Lorsque Rosa avait réclamé d'admirer de plus près les plantations de leur hôte, Brune avait sauté sur l'occasion pour monter, sous prétexte de voir ce que fricotaient les compères, trop silencieux pour être honnêtes.

Atys trônait dans sa niche. Au ras de celle-ci, le menton sur les pattes, Marcel faisait oraison. Cela l'avait énervée.

Elle n'avait trouvé aucune photo dans le salon. Avec la sale impression de trahir l'amitié, elle s'était glissée dans la chambre de Jocelyn. Le regard inquiet de celui-ci, la suivant dans la maison, ne lui avait pas échappé. Combien de temps tiendrait-il avant de venir voir ce qu'elle faisait? Pour l'instant, elle entendait sa voix répondre à celle de sa mère. Cela allait.

Le lit était défait, des dossiers traînaient sur le sol, un livre était entrouvert sur la table de nuit. Le désordre la décourageait lorsque l'épaisseur du livre l'avait frappée; entre les pages, elle avait trouvé quelques clichés.

Le cœur battant, elle en avait choisi un qu'elle avait glissé sous son t-shirt avant de revenir précipitamment au salon.

Le pas de Jocelyn retentissait dans l'escalier.

Pour regarder la photo, elle a attendu d'être chez elle.

Violaine est à bord de l'*Aventurine*. Vêtue de blanc, mains sur le bastingage, très droite, elle regarde au loin. L'Australie?

– *Beautiful*, a murmuré Rosa.

Une déesse. Cybèle?

Le vent repousse les longs cheveux sombres, dégageant le visage d'un blanc délicat qu'anime une flamme intérieure. Dans les yeux violets, on lit une volonté farouche.

Les doigts de Brune tremblent sur la photo. C'est bien le même fier port de tête, la même chevelure que ceux de l'inconnue aperçue sur la cassette. Mais les visages n'ont rien à voir. Celui-ci est vivant, celui de Trentemoult était comme un masque.

Elle a très peur d'avoir bien deviné.

5.

Arrivée jeudi, Rosa Davis repart déjà demain, mercredi. Sa voix est réclamée à New York, dans le cabaret qui porte son nom. Elle manque à sa nombreuse famille.

Ce soir, elle nous a conviées à dîner dans l'un des restaurants de la rue Kervégan, sur l'île Feydeau, tout près de chez Brune.

Nous n'avons revu ni l'une ni l'autre depuis dimanche à la Chaloupe. Après leur visite à Joson, Brune a appelé pour nous avertir qu'elles passaient voir Jocelyn, puis rentreraient directement à Nantes.

Une façon d'éviter les explications ?

Et, après Jocelyn, avaient-elles l'intention d'aller dire bonsoir à Guy Lepape, le préparateur en pharmacie, autre proche de Cybèle, histoire de boucler la bouche du mystère, rond comme un talisman ?

Murs de pierre sèche, sol carrelé, escalier intérieur à rampe sculptée, la Taverne a été créée dans l'une des anciennes maisons de négociants qui peuplent l'île. Nous sommes sept autour de la table car, oh ! surprise, Jocelyn et Alix Marini étaient là à notre arrivée. Devant mes yeux ronds, mon patron à France 3 a souri.

– Si cela pouvait vous décider à m'appeler par mon prénom, Julie !

Depuis la démission d'Hélène Lepic, je travaille directement avec lui à la première de « Bonjour Tout le Monde », prévue pour le 4 juillet prochain. À peine un mois.

Bien que Brune nous ait averties de ce qu'elle appelle joliment « leur rapprochement », les voir côte à côte ce soir me dérange. En demandant à Alix de se joindre à nous, ne cherche-t-elle pas à rassurer sa mère ? « Tu vois, tu peux repartir tranquille. Côté masculin, je suis pourvue, pas besoin de Bruno. »

Un, auquel le rapprochement ne plaît pas du tout, c'est le pauvre Marcel, habitué à avoir sa maîtresse pour lui tout seul. Il boude ostensiblement sur les pieds de Zabelle.

Nous avons commandé la spécialité de la maison : un poisson à griller par nos soins sur le brasero posé au centre de la table. Le fameux beurre blanc de Clémence et des pommes de terre au four l'accompagneront.

Non loin de nous s'est installée une famille un peu trop bruyante à mon goût. Parents et enfants dont une turbulente fillette de quatre, cinq ans, sans cesse rappelée à l'ordre par sa mère.

Un pianiste interprète d'anciens airs nantais. Ils célèbrent le fleuve, les ponts et les bateaux. Et aussi – ne sommes-nous pas dans la bastide du négoce ? – « thé, café, chocolat et ratafia ».

Inutile de chercher de quoi nous parlons : des ancêtres de Rosa, pardi.

Capturés au Sénégal, rassemblés sur l'île de Gorée, ils avaient abouti à Saint-Domingue, dans les plantations de canne à sucre.

Brune nous explique ce que l'on appelait le « commerce triangulaire ». Tout commençait à

Nantes, sur cette île entourée à l'époque par la Loire et dont chaque maison comportait double entrée : l'une sur le fleuve, l'autre sur la rue.

Chargés d'indiennes – étoffes de coton –, d'alcool et de pacotille, les bateaux entamaient leur périple vers les côtes africaines où la marchandise était échangée contre de l' « or noir », hommes, femmes et enfants, tantôt vendus par les chefs de tribu, tantôt chassés par les négriers. La cale remplie, le bateau repartait en direction de l'Amérique où l'or noir était échangé contre de l'or tout court, le « bois d'ébène », contre du bois précieux et autres marchandises.

Puis retour à la case départ, entre ces murs où nous dînons.

Tandis que Brune racontait, d'une voix pleine de brouillard, Alix Marini a tendu son bras derrière elle, sur le dossier de sa chaise. S'il ne la touche pas, c'est tout comme.

Dans le regard de Jocelyn, du respect. Dire qu'au début de leur relation la méfiance régnait ! Elle a fait place à une estime réciproque.

Lorsque la « petite-fille de marabout » a parlé des sévices infligés aux esclaves, des cargaisons décimées par la mort, les larmes sont montées aux yeux de Bobine.

Le récit terminé, elle s'est emparée de la main de Rosa.

– Vous savez quel est mon nom de famille ? a-t-elle demandé. Toussaint.

Comme l'esclave bien connu, Toussaint Louverture, qui, à la veille de la Révolution, avait provoqué un soulèvement contre les esclavagistes.

Et la blanche main de la fiancée de la Chine serrant celle de la petite-fille de l'Oncle Tom signait un pacte d'amitié entre Asie et Afrique.

6.

Soudain, un cri de douleur glace la salle, interrompant la musique : un cri d'enfant.

À la table proche de la nôtre, la turbulente fillette qui dansait sur sa chaise vient de tomber sur le gril rougi du brasero.

Son père l'en arrache, la mère hurle. Sur la tendre épaule s'inscrivent des marques brunes tandis que s'élève une odeur de chair brûlée.

Toute la salle est debout.

En trois enjambées, Jocelyn est là.

– Donnez-la-moi, ordonne-t-il au père.

Le ton était tel que celui-ci n'hésite pas et que le silence se fait. Seule l'enfant continue à hurler.

D'un revers de bras, Jocelyn a dégagé un coin de table sur lequel il l'assoit. Elle se débat.

– Essayez de la maintenir immobile, commande à présent notre ami.

Sur ses indications, tout en parlant à sa fille d'une voix pleine de larmes, le père tourne celle-ci de façon que l'épaule, écarlate, soit présentée à Jocelyn. Le poing sur la bouche, la mère s'efforce de retenir ses cris. Quelqu'un a entraîné le frère – âgé d'une dizaine d'années – plus loin. Le patron du restaurant, un gros homme en tenue de marinier, s'est glissé au premier rang.

D'un geste lent, Jocelyn étend ses mains sur la brûlure et prononce des mots à voix basse. Comme une prière. Comme un ordre. Le temps est suspendu.

Zabelle serre les lèvres, Bobine agrippe mon bras. Quant à Rosa et Brune, après s'être levées pour voir ce qui se passait, elles ont repris place sur leurs sièges et parlent à voix basse. Tranquilles.

Peu à peu, les cris de la fillette s'estompent tandis que son corps se détend. Lorsqu'elle se tait tout à fait, Jocelyn écarte les mains. Sur la peau de lait ne restent que d'infimes sillons bruns.

– Bobo parti, dit-elle avec un sourire.

Sous le regard d'une salle médusée, dans un silence religieux, Jocelyn a embrassé le front moite de l'enfant, puis il l'a déposée dans les bras tendus de la mère. Il a donné quelques conseils à celle-ci avant de nous rejoindre. Il m'a semblé qu'il boitait davantage.

Après être venu lui serrer la main, le patron a reconduit la famille à la porte. C'était à présent le frère de la petite qui pleurait : on le privait de son dîner.

Les uns après les autres, les gens ont regagné leurs tables, comme à contrecœur. Les conversations ont repris peu à peu. Les regards ne cessaient de se tourner vers Jocelyn. J'étais fière.

Zabelle a posé la main sur le bras de notre ami. Le souvenir allumait une flamme dans ses yeux. Elle a murmuré, comme intimidée : « Le frelon ? »

Et alors que Jocelyn acquiesçait, une odeur de chair brûlée a déferlé dans ma mémoire.

Ce jour-là, on a fêté les quinze ans de Violaine qui a reçu un vélo neuf. Elle a décidé de l'étrenner en se rendant avec nous à la ferme du père de Jocelyn où il élève des chèvres noires qui donnent de succulents fromages.

Les naissances ont eu lieu récemment et, lorsque nous arrivons, on est en train de brûler au fer rouge les cornes en bourgeons des chevreaux. L'odeur et les cris se mêlent. Insupportable.

Bobine et moi ferions bien demi-tour. Violaine nous traite de poules mouillées. Zabelle reste bravement à ses côtés.

C'est une saison à frelons. On ne sait d'où ils viennent ; nous en avons très peur. Et voici que Violaine se fait piquer. Elle, pas poule mouillée, ne rit ni ne pleure. Très pâle, elle regarde la rougeur qui enfle sur sa jambe. Zabelle court chercher Jocelyn.

Il a quinze ans comme notre déesse et je suis sûre qu'il l'aime déjà. Il l'enlève dans ses bras, rentre dans la sombre salle de ferme et la dépose devant sa grand-mère.

Cette vieille femme aux cheveux blancs buissonneux à la fois nous attire et nous effraie. C'est elle qui a élevé Jocelyn dont la mère est décédée peu après sa naissance. Nul n'ignore qu'elle le défend contre les coups du père qui lui reproche de l'avoir tuée.

Elle collectionne les pierres magiques et nous en révèle les propriétés : la pierre de lune, le jaspe, l'aventurine. Elle prend la jambe de Violaine et la place au creux de son ample jupe. Après avoir vérifié que le dard n'y est plus, comme Jocelyn vient de le faire pour l'épaule de la fillette, elle étend les mains sur la partie atteinte et commence à égrener une prière.

Lèvres crispées, épaules rigides, Violaine regarde au loin. Debout derrière elle, Jocelyn semble participer à la prière. Bobine et moi sommes serrées l'une contre l'autre et c'est Bobine, la plus jeune d'entre nous – onze ans – qui pleure en regardant entre ses doigts.

Dans la cour, les cris des chevreaux accompagnent toujours l'odeur de chair brûlée.

Une odeur que je n'oublierai jamais.

Lorsque la vieille femme écarte ses mains, le genou a repris une apparence normale. Seul un point noir indique l'endroit de la piqûre. Elle rend sa jambe à Violaine et trace une croix sur son front.

– Va, dit-elle.

Violaine se relève, toise Bobine.

– Pourquoi tu pleures ? Tu vois bien que c'était rien du tout.

Nul n'ignorait que la grand-mère de Jocelyn était « leveuse de maux ». On venait la consulter pour désenvenimer les piqûres d'insecte, les morsures de serpent ou pour éteindre le feu d'une brûlure.

Elle a transmis le don à son petit-fils.

Et voyant le visage éclairé de celui-ci, ce sont les paroles de Joson qui me reviennent.

« Le guérisseur agit sur les maux. Le sorcier s'attaque à l'être. »

Nous pouvons faire confiance à notre ami. Il ne nous a jamais voulu que du bien.

Rosa Davis nous réservait le plus somptueux des cadeaux d'adieu.

Nous avions achevé de dîner lorsque le pianiste est venu s'incliner devant elle. Il lui a tendu la main et l'a menée, telle une reine, jusqu'à son instrument.

Elle a chanté.

Elle a chanté la souffrance de celui que l'on vole à sa terre et aux siens, de l'enfant arraché aux bras de sa mère, de l'esclave enchaîné.

Sa voix a fait trembler les murs de l'ancienne maison de négrier. Elle a libéré toutes les autres voix qui, avant elle, avaient lancé au ciel une même supplique, un même espoir.

Elle nous a offert l'âme humaine.

7.

Je regardais les hêtres aux troncs clairs qui offraient au soleil l'abondance de leur parure nouvelle et j'entendais une musique d'orgue.

Pas celle, bien tempérée, de l'église Saint-Pierre-Saint-Paul d'Ancenis, mais les accords triomphaux qui, ce matin, avaient accompagné l'entrée de ma petite sœur Caroline en la cathédrale Saint-Gatien à Tours, célébrant le bonheur de deux êtres s'engageant à lier leurs vies.

– Désormais, vous ne serez plus jamais seuls, avait dit le prêtre dans son homélie. Vous formerez une même âme et une même chair.

Sous la tente dressée sur la pelouse, devant la longue maison blanche des Lebreton, rires et applaudissements ont éclaté. Le repas de noces s'achevait.

J'avais quitté la table en douce au moment du café et des inévitables sketches interprétés par les amis des mariés, caricaturant gaiement leur caractère, évoquant les incartades passées, comme fermant un rideau sur l'insouciance, et je m'étais sauvée dans le parc.

Sauvée... Pour me sauver de quoi ?

D'où venait ce sentiment de solitude qui, depuis l'enfance, m'étreignait lorsque je me trouvais en compagnie ? Cette impression que ma place n'avait pas été réservée, que j'étais dépareillée, même si, comme aujourd'hui, je portais mes plus beaux atours. Même si on m'en avait fait compliment.

« Désormais, vous ne serez plus jamais seuls. »

Ne le restait-on pas toujours, au plus intime de soi ?

Je me suis enfoncée un peu plus dans la hêtraie. L'automne dernier, certains de ces arbres étaient marqués de rouge, morts à l'intérieur, bons pour la coupe, m'avait-on dit.

C'était lors des fiançailles de Caroline. Je lui avais confié : « Il m'est arrivé quelqu'un. » Et, le même soir, de retour chez moi, j'apprenais que ce quelqu'un avait femme et enfant et je me sentais comme l'un de ces arbres condamnés à être abattus.

« À la fois le hêtre a besoin des autres pour s'élancer vers la lumière et trop de lumière le tue », m'avait expliqué le maître de maison, Jean Lebreton. « C'est finalement un arbre d'ombre. »

Étais-je un arbre d'ombre ?

Je me suis secouée : arrête, Julie ! Ça te va bien de pleurer sur ton sort. Une famille aimante, trois fabuleuses amies, et bientôt ta bouille à la télévision. Pour l'ombre, tu repasseras.

– Ma chère fille aurait-elle pris la poudre d'escampette ?

Mon père entoure tendrement mes épaules de son bras. Lui, la fête lui convient. Combien de conquêtes a-t-il fait dans sa jaquette grise qui se marie si bien avec ses tempes argentées ? Avec ses yeux clairs toujours à l'affût de plaisirs nouveaux.

Je me serre contre lui. Si je prends volontiers la poudre d'escampette, je ne suis pas opposée à ce que l'on vienne me chercher par la peau du cou pour me remettre dans le rang.

Je murmure : « Tu me connais. »

– Ah ça !

Nous reprenons la promenade.

– On ne t'a pas beaucoup vue ces temps-ci, remarque-t-il. Donne-moi donc des nouvelles de votre Chaloupe. Avez-vous fini par retrouver le docteur Fleury ?

– Grâce à toi, merci.

– Et alors ?

Et alors, papa, le docteur Fleury est mort et Violaine aussi. Il y a quelques jours, Zabelle et son fils ont été victimes du sabotage de la plate. Notre Chaloupe tangue sérieusement. Nous pourrions bien être amenées à la quitter avant de sombrer.

Vais-je lui gâcher la fête ?

– Alors, il y a trop à dire. Je te raconterai ça un autre jour. À condition que tu m'invites à faire un bon déjeuner.

– Profiteuse !

Un joyeux brouhaha monte vers nous, percé de cris d'enfants. La tente se vide. Une petite foule se déverse dans le parc.

– Et ton Julian ? questionne vite mon père.

Mon Julian a demandé le divorce. Si nous continuons à nous montrer prudents. Il ne sera pas séparé de Manon. Il m'a parlé mariage...

« Et ils eurent beaucoup d'enfants ? »

Ce matin, Caroline a soulevé son voile et elle m'a glissé à l'oreille : « Tu verras, ça sera bientôt ton tour. Je le sens. »

Si je veux.

Papa soupire devant mon silence.

– Ça aussi, si je comprends bien, ce sera pour l'autre jour, constate-t-il.

Avec des cris de Sioux, Plic et Ploc, jumeaux de mon frère aîné, garçons d'honneur, galopent vers nous. J'attrape la main de mon père.

– Au secours, nous sommes cernés.

Il m'entraîne. Nous courons comme des enfants ; à la poursuite de leur enfance ?

Et je ne me sens plus seule.

8.

À propos de pères...

C'est pour parler de celui de Brune que Zabelle nous a convoquées, Bobine et moi, dans son appartement du Septième Ciel, cours Cambronne, vue sur la statue du général dont la fameuse phrase est gravée sur le socle.

« La garde plie mais ne rompt pas. »

– OK, papa ! le salue notre irrespectueux d'Artagnan d'un coup de chapeau imaginaire chaque fois qu'elle le croise.

Depuis le départ de Rosa, nous n'avons eu aucune nouvelle de Brune. Et nous nous sommes suffisamment fréquentées pour savoir faire la différence entre planning trop chargé et fuite. Ce n'est pas sa mouche drosophile qui tient la scientifique éloignée de nous mais le refus que nous lui parlions d'un certain Bruno Le Plessy.

Lorsque nous suivons Zabelle sur la terrasse, les derniers rayons du soleil éclairent tulipiers et magnolias plantés en bordure du cours. Le long de l'allée qui mène place Graslin, la double rangée d'arbres taillés au carré monte la garde.

Zabelle nous sert un « mimosa », mélange de jus de fruits frais et de sa boisson à bulles favorite.

Nous nous enfonçons voluptueusement dans les coussins de ses fauteuils de jardin. L'air est doux et, ce soir, l'amitié sent le complot.

– Rosa m'a appelée, annonce-t-elle. Elle voudrait que nous aidions Brune à rencontrer son père. Vous savez ce qu'elle m'a dit ? « Tant qu'elle n'en sera pas reconnue, elle n'arrivera pas à dire " Je t'aime " à son Alix. »

– Alors là, je suis bien d'accord, s'enflamme Bobine. Papa et moi, on s'est reconnus. L'ennui, c'est que j'ai plus personne à qui dire « Je t'aime ».

J'échange avec Zabelle un regard exaspéré : Bobine cessera-t-elle un jour de tout ramener à sa ronde personne ?

– Avez-vous remarqué que Brune n'a pas prononcé une seule fois le mot « papa » ? reprend notre hôtesse avec une infinie patience. C'est « Bruno », « le monsieur », ou rien.

– Comme Matthieu pour toi : Isabelle ou rien ! se précipite à nouveau l'incorrigible gaffeuse. Pour qu'il se décide à t'appeler « maman », il a fallu que tu te retrouves à l'hôpital.

Je résiste à une pulsion d'étranglement.

– C'est pourquoi nous n'attendrons pas l'hôpital pour intervenir, répond stoïquement Zabelle.

« Coucou, papa, c'est moi ! »

– L'ennui, c'est qu'il n'est pas certain que le « monsieur » soit heureux d'apprendre qu'il était papa sans le savoir.

Et j'ose ajouter : « D'une ravissante colorée. »

– Raciste ! accuse Bobine. Dis tout de suite que ça t'aurait pas plu que j'épouse un bridé...

Imperturbable, Zabelle poursuit :

– D'après Rosa, Le Plessy est un type bien. Il ne se dérobera pas. Et ce ne sera pas Brune qui l'obligera à dévoiler le pot aux roses à sa famille. Il lui suffira qu'il reconnaisse son existence.

– Et de quelle façon comptes-tu... intervenir ?
– Si elle refuse la rencontre, on se livrera à un bon petit chantage.
Elle foudroie Bobine pour l'empêcher de parler de Fabrice et ajoute : « Là aussi, j'ai une expérience personnelle. »
– Brune se soumettre à un chantage ? Tu rêves, dis-je. Ce serait bien la dernière.
– On ne lui laissera pas le choix : « Tu te présentes où c'est nous qui contactons le pilote. »
Le verre de Bobine claque sur la table.
– Nous ? Attends. Tu parles de qui, là ? Moi j'en suis pas. Aucune envie de me faire jeter.
– Personne te jettera, trésor, pour la bonne raison que nous produirons des preuves indiscutables, laisse tomber Zabelle.
Entretenant le suspense, elle ressert une tournée générale. Bobine avale olive sur olive, biscuit salé sur biscuit salé. Au moins, pendant ce temps, elle ne l'ouvre que pour s'empiffrer.
– L'ADN, ça vous dit quelque chose ? reprend Zabelle. Des tests très à la mode. Pas de cadavre à déterrer, prélèvement sur le vif. Vous vous souvenez peut-être que Rosa a dit que son pilote fumait le cigare comme moi. Bobine, tu te chargeras de subtiliser un mégot pendant que Julie et moi on le distraira. Quant à Brune, on va s'en occuper très vite.
Elle désigne, sur le plateau, une quatrième coupe que nous n'avions pas remarquée.
– En mettant de côté cette coupe après qu'elle y aura trempé ses lèvres exquises.
Bobine est debout.
– Tu... tu veux dire qu'elle vient ?
Comme pour lui répondre, les aboiements joyeux de Marcel retentissent cours Cambronne.

– De ce pas, acquiesce Zabelle. Je vous avouerai que j'ai eu un certain mal à la convaincre. J'ai dû employer l'arme fatale : Chaloupe en danger.

Devant le regard horrifié de Bobine, un fou rire monte en moi. Le double mimosa doit y être aussi pour quelque chose. Il se boit comme le fameux « lait de poule » de notre Yankee.

J'en rajoute.

– Et ces tests ADN, je suppose que tu les confieras à l'hôtel-Dieu ?

– Pourquoi chercher plus loin ? Il paraît qu'ils ont un service spécialisé, pouffe Zabelle.

Comment qualifier un « rire dans la tempête » ? Rire iconoclaste pour ne pas couler ? Nous voilà parties toutes les trois.

Et la hantise de Bobine étant d'être exclue de la fête, elle trouve suffisamment d'humour pour nous emboîter le pas.

L'Interphone a sonné, ramenant un calme précaire. Nous avons suivi Zabelle au salon.

« On parlait justement de toi », a-t-elle annoncé dans le haut-parleur et nous avons à nouveau plongé.

L'ascenseur débouche directement au Septième Ciel. Notre médaillé est sorti le premier. Il a sauté au cou de la maîtresse de maison qui le gave de tout ce qui lui est interdit chez lui.

Brune est restée dans la cabine, le doigt sur le bouton commandant l'ouverture de la porte. Son regard est passé tour à tour sur chacun de nos visages.

– Je vois qu'on ne s'ennuie pas, ici, a-t-elle remarqué. Et je sais très bien pourquoi vous m'avez fait venir. Mais, si vous permettez, c'est moi qui déciderai du planning. Premier rendez-vous après-demain, lundi, avec Guy Lepape, même s'il n'est pas au courant.

Elle a observé un silence : « Quant à l'autre – pas au courant non plus – sachez que je me suis inscrite à des cours de pilotage à l'aéroclub de Loire-Atlantique, histoire d'étudier le moniteur. Et ce sera moi qui déciderai des suites à donner. »

Elle a regardé Bobine, écarlate : « Quant à d'éventuels tests ADN, apprenez bande d'ignares qu'un simple cheveu suffit. Maintenant, si le programme ne vous convient pas, bye-bye. »

Sa main est descendue sur le bouton du rez-de-chaussée.

Zabelle a eu un gros soupir.

– On déteste ça, mais on cède au chantage. T'attends quoi pour entrer ?

9.

De sa voiture, Brune regarde les fenêtres éclairées de Guy Lepape au-dessus de la croix éteinte de la pharmacie. Les propriétaires habitent, eux, une coquette maison en dehors du bourg.

C'est l'heure des infos, huit heures, et les rues de Mauves sont désertes. Il a fait lourd aujourd'hui, la chaleur cède avec le soir, vivement la nuit !

Elle vient d'écouter sur son portable un message d'Alix lui demandant de le rappeler si elle pouvait, « *Love* ».

Si elle pouvait... Cette légèreté, ce respect total de sa liberté, c'est lui. « Love. » Lisant le mot, sentant battre autrement son cœur, Brune a envie de se moquer d'elle-même : bien fait !

Toutes les vannes qu'elle a tant de fois envoyées à Bobine à propos du grand bal des hormones, de la ruée sauvage des mots en « ine » provoquant le coup de foudre, sont revenues la frapper elle, tel un boomerang...

Un orage de quelques heures après l'émission ratée de Julie à France 3. D'abord une engueulade au sujet de la petite, ensuite ce drôle de dîner où Alix et elle n'en finissaient pas de se découvrir, sous l'œil intéressé de Xavier Baupin et de son ami.

Qu'avait-il de plus que les autres, ou de différent, le long garçon autoritaire, à l'œil inquisiteur, au sourire rare, pour qu'elle se sente si vite à sa place près de lui, elle la déracinée ? Pour qu'après le repas elle lui propose de prolonger la soirée chez elle, tous deux sachant parfaitement ce que cela sous-entendait, Brune espérant que le feu de son corps éteint, la rencontre serait sans lendemain comme les précédentes.

Jamais encore elle n'avait gardé ses partenaires à dormir chez elle. Au matin, elle s'était réveillée dans les bras d'Alix.

« On peut dire que tu tombes bien, toi ! Comme si je n'en avais pas assez dans la tête avec cette maudite Chaloupe. Sans compter un prétendu ange. »

Elle remet son portable dans sa poche et regarde, derrière les voilages, passer et repasser l'ombre du préparateur. Au moins, elle sait ce qu'elle est venue chercher ici : le nom de l'envoûteur. Le seul point sur lequel le docteur Fleury se soit montré clair : « C'est Lepape qui l'a indiqué à Bertille. » Et elle est décidée à l'obtenir, de gré ou de force. Pas question de mettre des gants comme avec Jocelyn.

« Laisse tomber », a supplié le regard de celui-ci lorsqu'ils se sont séparés après le dîner offert par Rosa.

« *Take care, sweet heart* », a murmuré celle-ci à l'oreille de sa fille avant de reprendre l'avion.

« Prenez garde », a recommandé Joson, associant Marcel à l'avertissement.

Là-haut, un bref instant, le voilage s'est écarté et Brune s'est tassée sur son siège. Lepape attendrait-il quelqu'un ?

Elle soupire. « *Love* »... elle peut encore renoncer, rappeler Alix, le rejoindre. Que vient-elle faire dans cette galère, elle qui n'a connu ni Cybèle ni Violaine ? Vendons cette foutue maison et finissons-en.

« Elles sont en danger, tu ne peux pas les lâcher. »

Bobine qui crâne, Zabelle qui panache, la tendre Julie. « Une pour toutes, toutes pour une », a-t-on jamais vu une mousquetaire ne pas galoper au secours des siennes ?

Et puis Brune est comme ça ! Depuis deux crayons de couleur brandis sous son nez par Dick, elle n'a jamais supporté les points d'interrogation. Il faut qu'elle élucide ; il lui plaît bien ce mot qui veut dire « lumière ».

Elle n'a jamais oublié les paroles de son professeur.

« L'instinct, l'intuition, sont des facteurs essentiels à la recherche, mais ce ne sont que des points de départ, comme une lumière incertaine autour de laquelle il vous appartiendra de construire du concret par vos travaux. Sans oublier que chaque pas en avant mène à une autre marche et qu'il n'est jamais de point final à la découverte, ni de certitude absolue. »

Guy Lepape lui permettra-t-il de faire un pas vers ce qu'elle pressent si fort ? Si douloureusement ?

Allez !

Elle s'est donné l'ordre à voix haute et, sur la banquette arrière, sa résidence secondaire, Marcel soupire. Elle se tourne vers lui. Il a là ses jouets, sa gamelle, de l'eau et le vieux chandail plein de l'odeur de sa maîtresse sur lequel il se rassure en l'attendant. Une vie d'attente, pauvre Marcel ! Une vraie vie de chien quand on n'appartient pas à un retraité.

Elle lui grattouille le dos des oreilles comme il aime.

– T'en fais pas, je reviens.

Elle n'omet jamais de le lui promettre, même lorsqu'elle ne s'absente que quelques minutes. Il la croit toujours. Il bâille déjà ; il fera un petit somme en l'attendant.

– Si tu veux, après, on courra.

« Volontiers, répond-il en battant de la queue. Mais inutile d'inviter Alix. Seulement toi et moi. »

– Tu ne dirais pas ça pour Matthieu, rigole-t-elle.

À l'énoncé du nom, c'est un tambourin d'allégresse qui se déclenche sur la banquette.

Elle quitte la voiture, prenant soin de ne pas claquer la portière et traverse la place rapidement. L'entrée est dans une petite cour à l'arrière de la pharmacie. Pas d'Interphone. Elle sonne deux coups brefs, comme font les habitués. Un pas résonne dans l'escalier et l'inespéré se produit. Sans demander qui est là, Lepape ouvre la porte. Il attendait bien quelqu'un.

Sûrement pas elle !

– Vous ? s'écrie-t-il.

Il cherche à la repousser. Zabelle le bouscule, et sans tenir compte de ses protestations, grimpe quatre à quatre les marches de l'escalier. Sur le seuil de l'appartement, elle se fige.

De taille moyenne, la pièce est occupée presque en totalité par une table de billard. Pieds sculptés, rebords de chêne, incrustations d'ivoire, sans aucun doute la « table du Roi-Soleil », celle qui se trouvait à Cybèle lorsque le docteur Fleury entraînait l'équipe des mousquetaires.

« Finalement, c'est ce Lepape qui l'a eue », avait dit le médecin avec mépris.

Elle attend les joueuses. La bille rouge au centre, les blanches en place pour le tirage, une queue près de chacune. Brune reconnaît tout de suite celle du préparateur ; l'autre ne peut être que celle de Violaine dont une photo, en compagnie de celui-ci, orne l'un des murs.

Cette photo a été prise devant l'officine. Violaine y est nettement plus jeune que sur l'*Aventurine*. « Elle faisait des études de pharmacie », a dit Jocelyn.

– Partez, souffle Guy Lepape dans son cou. Allez-vous-en.

Brune se retourne et, un instant, elle a pitié. « Il s'imaginait que notre fille était pour lui », a dit également le docteur Fleury.

Jamais, au grand jamais, Violaine n'a aimé cet homme au visage ingrat, aussi gris qu'elle était éclatante. Sans doute s'est-elle servie de lui : une chose qu'elle savait très bien faire, voire ses « suivantes »...

Du regard, elle parcourt le reste de la pièce : un canapé-lit, une étroite armoire, une table basse. Deux verres sur la table : opaques. S'il attend quelqu'un, ce n'est pas d'hier.

– D'accord, je vais m'en aller, dit-elle. Dès que vous m'aurez donné le nom de l'envoûteur auquel vous avez adressé Bertille Fleury.

Lepape s'est d'abord figé. Puis son rire éclate, sec, méprisant.

– Un envoûteur ? Quel envoûteur ? De qui voulez-vous parler ?

La pitié de Brune se transforme en colère. Il est bien l'être malfaisant, dévoré d'orgueil, qu'elle a perçu lors de leur affrontement au Café des Rencontres.

– Je parle de celui sans lequel la mère de Violaine serait sans doute encore en vie aujourd'hui.

Avez-vous jamais pensé qu'en les mettant en rapport, vous aviez probablement provoqué sa mort ? Et pourquoi pas celle de sa fille ?

Brune attendait un cri de rage. Elle se préparait à une empoignade. Lepape n'a pas eu un frémissement. Et ce qu'elle lit dans son regard la glace : une totale impassibilité.

Soit il préfère Violaine morte plutôt que mariée à Peter Keating, loin de lui.

Soit ce qu'elle redoute est vrai.

Faisant appel à tout son calme, elle se tourne à nouveau vers la table, prend la bille blanche marquée d'un point et la place devant elle avant de s'emparer de la queue de Violaine et d'y passer le bleu d'Espagne.

Les yeux exorbités, le souffle court, le préparateur semble paralysé.

Elle se met en position.

– Vous me donnez ce nom où je crève votre précieux tapis.

Si elle frappe la bille suffisamment fort, un pli se créera sur celui-ci, que viendra trouer le bout de sa flèche. Le coup n'est pas facile, mais Lepape qui a affronté Brune l'en sait capable.

Elle s'y prépare en limant rapidement.

– Arrêtez ! crie-t-il. Non.

Il est blême. Il vient encore de s'incliner devant l'adversaire.

10.

« Tu me manques, dit la voix de Julian, sombre, encombrée. Le temps refuse de couler. Le sablier s'est cassé à La Baule. Je ferme les yeux et j'entends soupirer les vagues. Je soulève le drap mais tu n'es pas là... »

Je soulève le drap du temps et tout est brouillard. Dans ma vie sans lui. À la Chaloupe où Brune nous a interdit d'aller, sans autre explication. Seule lumière à l'horizon, la première de « Bonjour Tout le Monde » sur le petit écran, le 4 juillet prochain. J'y consacre toute mon énergie.

« Où es-tu, ma Julie ? J'en arrive à détester le portable. Tu pourrais être, à cet instant même, dans les bras d'un autre sans que je le sache. Je t'appelle d'une porte cochère, comme un clochard, comme le mendiant, qui tend la main : " À votre bon cœur. " Il pleut sur Paris. D'un seul coup, tout ce gris, cela n'a plus été supportable, il a fallu que je m'assure que tu existais bien. »

Le ciel est bleu sur Nantes. Je suis dans mon studio trou de souris, sur mon lit à une place, mes dossiers éparpillés autour de moi, comme une sage étudiante perpétuelle. Je n'existe pas bien, Julian ! Il coule du sablier plus de gris que de blanc. On ne raconte pas sa vie au téléphone et tout ce que je ne peux te dire s'entasse, forme une muraille qui nous sépare chaque jour davantage. Rosa Davis et le père retrouvé de Brune... une petite fille brûlée... cette envie de fuir lors du mariage de ma petite sœur.

« La procédure de divorce est engagée, poursuit Julian, et j'entends retentir un klaxon parisien. J'ai bon espoir. À trop s'afficher avec son petit ami, Viviane s'est mise dans son tort. Elle ne pourra plus me priver de ma fille. Sais-tu ce que Manon m'a dit l'autre jour ? “ Je sais que maman est méchante avec toi, mais c'est ma maman. ” Elle avait l'air si triste et raisonnable. J'en ai eu le cœur brisé. »

Lorsque, au mariage de Caroline, j'ai vu s'avancer deux par deux les enfants d'honneur, de ronds bouquets entre leurs mains, j'ai senti une brisure dans mon cœur. Et moi ? Quand ? Je n'ai jamais envisagé ma vie sans enfants. J'aurai bientôt trente et un ans.

« Mon avocat fait tout pour accélérer. Plus que quelques mois, Julie ! Pourquoi ne dis-tu rien ? Je sens que tu m'en veux encore. J'ai tellement peur de te perdre... »

Dans quelques mois, tu seras libre. Si je le souhaite, tu m'épouseras. À La Baule, là où le sablier s'est cassé pour toi, sous les draps du grand lit, je ne t'ai pas dit non. Je ne t'en veux pas, Julian. Pour protéger Manon d'une mère trop dure, tu as mille fois raison de continuer à cacher l'existence de la journaliste de Nantes jusqu'au jugement. Mais, même si j'ai été cette petite fille qui pleurait le soir dans son lit et priait le bon Dieu pour que son papa ne quitte pas sa maman, j'ai besoin que tu m'offres le plus beau des cadeaux : une imprudence.

– Salut, Julie, tout va ? claironne Brune sur l'instrument où l'on ne peut pas voir tricher les visages. Sais-tu qu'il m'arrive une chose incroyable. Devine... Ça vous dessèche la bouche et vous emballe le cœur. Tu donnes ta langue au chat ? J'AI PEUR.

– La Chaloupe ? Ça y est ? Tu as vu Lepape ? Tu vas enfin te décider à nous dire pourquoi on n'a plus le droit d'y aller ?

– J'ai vu Lepape, et même la table du Roi-Soleil. Mais ce n'est pas le sujet du jour. Aurais-tu oublié le programme ? J'ai peur de demain : un rendez-vous à dix heures à l'aéroclub de Loire-Atlantique avec un certain Le Plessy, prénom Bruno.

J'aime mieux cette peur-là ! Je respire.

– Tu ne vas pas te décommander, au moins ?

– Pour qui tu me prends ? Tu m'as déjà vue ne pas tenir parole ?

Elle se tait quelques secondes. Où es-tu, Brune ? À ton labo ? Dans ton bel appartement de négrier ?

– Depuis que je sais que le monsieur est dans le coin, chaque fois que je croise un beau blond, ou plutôt un beau gris, je me dis : « C'est lui. » J'ai peur de lui faire peur, peur de le décevoir, que nous deux, ça colle pas. Mais qu'est-ce qui lui a pris au goéland argenté d'atterrir chez Rosa après tout ce temps ? Et la Rosa, elle avait vraiment besoin d'ouvrir le champagne ? Tu vois, finalement, j'aurais préféré qu'elle vide tout le sac à malice ! Ce serait pas à moi de le faire. On connaîtrait la réaction du volatile. À part ça, ma mouche se marre les quatre pattes en l'air. Elle me répète que j'ai des gènes de pilote. Pour les états d'âme, elle connaît pas.

À nouveau, Brune s'interrompt. J'entends des aboiements.

– Marcel te salue. Moi, j'ai un petit service à te demander. Tu comprends, si je dis à Zabelle que j'ai peur, elle fera comme ma mouche. Bobine est trop bavarde, elle risque de tout balancer au goéland sans même s'en apercevoir. Alors tu vois, t'es celle qui reste, Julie la douce. Qu'est-ce que tu dirais d'un petit tour au ciel demain avec l'ange et moi ?

11.

L'aéroclub de Loire-Atlantique jouxte l'International. On y accède par le beau pont de Cheviré sur lequel nous roulons au pas. Sans inquiétude : Brune a pris de la marge, il est neuf heures. Soleil.

Elle a laissé Marcel à la maison. Il ne s'est jamais remis d'un voyage dans la soute d'un avion. Il lui suffit d'entendre le ciel vrombir pour lui adresser des aboiements comminatoires. À moins que le présomptueux ne lève la patte dans sa direction.

– Le pauvre ! Il a déjà du mal à digérer Alix, s'il apprend que je me mets au pilotage, ce sera la totale, s'amuse la Blackie.

Tout en n'oubliant pas qu'elle m'a choisie parce que je sais la fermer, je me permets de l'ouvrir pour une petite question ; après tout, il s'agit de mon patron.

– Alix est-il au courant pour Bruno ?

– Je soupçonne Rosa de l'avoir mis au parfum. Ils s'entendaient comme larrons en foire, ces deux-là. Je lui en parlerai le jour où je pourrai faire les présentations. Si ce jour vient...

– Mais il viendra, bien sûr. Et plus vite que tu ne le penses...

Elle me lance un regard ironique.

– Toi, rêve pas trop, Julie. Il ne se passera rien aujourd'hui. Simple prise de contact, histoire de voir si le pilote du Concorde est digne de moi.

– Et des mousquetaires, ne nous oublie pas !

– Là, tu places la barre vraiment haut.

Nous rions. Elle engage une cassette. Surprise ! Ni gospel ni soul. Wagner : *La Chevauchée des Walkyries*. Pour se donner l'élan ?

– Tant qu'elle n'aura pas été reconnue par son père, elle n'arrivera pas à dire " Je t'aime " à son Alix, a remarqué Rosa.

Et moi ? Depuis combien de temps n'ai-je pas dit « Je t'aime », à Julian ? Arrête, Julie. Ne fais pas ta Bobine en ramenant tout à toi.

Nous arrivons.

Et la voyant sauter de son 4 x 4, dans son survêtement perle à rayures bleues, longue, fine, en un mot « royale », je me dis que, si j'étais son père, non seulement je la reconnaîtrais mais j'en tomberais amoureux.

Dans le bâtiment de l'aéroclub, quelques personnes, trop jeunes pour que Bruno se trouve parmi elles, sont accoudées à un bar derrière lequel photos d'appareils et de pilotes, diplômes et plaques, forment un tableau impressionnant.

– Mademoiselle Porter ?

Une jeune femme lui fait signe d'un bureau. Davis étant le nom de scène de sa mère, Brune porte celui de Sam. En en attendant un autre ?

Elle achève de remplir son dossier, donne les deux photos et le certificat médical réclamés et prend les rendez-vous suivants en m'adressant un clin d'œil – je sais, je sais, la vraie déclaration d'identité n'est pas pour aujourd'hui.

La secrétaire lui remet un carnet de bord où seront inscrites ses heures de pilotage ; elle jette un regard vers la pendule. Dix heures moins dix.

– M. Le Plessy ne devrait plus tarder.

Nous allons l'attendre au bar. Ai-je vu Brune porter le carnet de bord à ses lèvres ? Surprenant mon regard, elle l'attrape entre ses dents, fait mine de fouiller dans son sac. Nous commandons des cafés.

– Quarante-cinq heures de vol seulement et j'aurai le droit d'emmener des passagers, tu seras ma première invitée, Julie. D'accord ?

– D'accord.

Elle vide sa tasse d'un coup. Les regards intrigués vers ma belle compagne ne m'ont pas échappé.

– Alors, c'est le grand jour ? s'enquiert un homme en combinaison de mécanicien.

– Comment l'avez-vous deviné ?

Il rit. Brune crâne. D'un instant à l'autre, un homme entrera ici, qui sans le savoir sera son père. Un père sur lequel, quoi qu'elle prétende, elle n'a jamais tiré un trait, qu'elle s'était seulement résignée à ne connaître jamais. Quel courage !

Héroïque comme je suis, moi, j'aurais écrit.

– Brune Porter, c'est laquelle ?

Un pilote en blouson de cuir, chemise claire, nous regarde tour à tour avec un sourire interrogateur. Grand, mince, cheveux argent, yeux bleus.

En toute objectivité, superbe.

– C'est moi, répond Brune.

Elle se laisse glisser de son tabouret. Il ne la dépasse que de quelques centimètres. Ils se serrent la main. Je ne peux plus respirer. En me choisissant pour l'accompagner, Brune n'avait pas dû prévoir qu'elle traînerait une handicapée.

– Je me suis permis d'amener une amie : Julie.

Il faut la connaître... pour ne pas reconnaître sa voix. Plus aucun velouté ; rien que de la volonté.

Bruno Le Plessy tourne son sourire vers moi.

– Vous embarquez aussi, Julie ?

Et il ajoute malicieusement : « Brune a dû vous avertir qu'elle serait aux commandes dès la première leçon. »

Je me contente d'acquiescer. Ma voix à moi, je l'ai perdue.

– Eh bien, on va y aller !

Après avoir serré quelques mains au bar, le moniteur nous entraîne à sa suite.

Un peu partout sur le tarmac, des appareils sont stationnés, certains, minuscules : avions-mouches. Le ciel n'est qu'une immense vibration. Ma tête aussi. Ah, cette façon qu'a eue Brune de dire : « C'est moi », en fixant son père droit dans les yeux comme elle seule sait le faire, lui demandant : « Et toi, qui es-tu ? »

Il lève le doigt.

– Leçon n° 1 : conditions météo. Deux possibilités seulement : turbulences ou grand beau. Vous avez bien choisi.

Après les turbulences, le plus beau jour de la vie de Brune ?

J'ai envie de crier à mon amie qu'il est magnifique, le pilote. Que son sourire est désarmant, qu'il ne me semble pas homme à fuir ses responsabilités. Oui, ma Brune, il va te reconnaître, ton père. Et je suis peut-être une handicapée de la respiration, mais je plane déjà.

L'appareil près duquel nous nous arrêtons est de taille moyenne. Rayures rouges et noires, nez grenat de clown.

– Je vous présente le Dauphin. Robin Dauphin.

Sans répondre, Brune passe la main sur l'aile. La petite-fille de marabout tente-t-elle d'y lire l'avenir ?

Le Plessy se tourne vers moi.

– Pas trop émue, Julie ?

– Très !

Brune me foudroie. De quoi a-t-elle peur ? M'est-il déjà arrivé de ne pas tenir parole ? J'irai.

– C'est les trous d'air...

Il rit.

– Leçon n° 2. Apprenez qu'ils n'existent pas. Il y a seulement des variations plus ou moins fortes de température : les turbulences, c'est ça.

Il soulève la verrière de l'appareil, me désigne sur l'aile gauche une plaque antidérapante.

– Montez par là, Julie, et installez-vous à l'arrière. Ce n'est pas très spacieux, mais contrairement à ce que les gens imaginent, le Concorde ne l'était pas non plus pour ses passagers.

Il se tourne vers son élève.

– Quant à vous, Brune, la question rituelle : d'où vous est venue l'envie de voler ?

– Il me semble que je l'ai toujours eue, répond-elle.

12.

L'élève à gauche, le moniteur à droite – doubles commandes –, Bruno a commencé par expliquer à Brune les différentes gouvernes du Dauphin.

Le manche pour décoller, tourner, atterrir. La manette de gaz qui donne la puissance, les palonniers qui permettent de se diriger au sol et prendre les virages. Plus une sorte de frein à main dont je n'ai pas retenu l'usage.

Je regardais les longs cheveux sombres, les courts cheveux argentés et mon cœur battait du double envol à venir : Brune dans le ciel, Bruno vers sa fille.

Nous avons bouclé les harnais et coiffé les casques radio qui limiteraient le bruit et permettraient le contact avec la tour de contrôle. À ce propos, on ne disait jamais « oui », mais « affirmatif ».

Durant cette première leçon, Brune allait piloter « à vue », sans tenir compte du tableau de bord que lui expliquerait son professeur par la suite.

– Prête ? a-t-il demandé.

– Affirmatif.

Il a souri.

Nous roulions sur les « taxiways », les petites pistes qui mènent à la grande, la même qu'empruntent les avions de ligne. Je me sentais comme dans ces histoires déraisonnables que je me racontais enfant, là aussi des histoires de père. Dans celle d'aujourd'hui, l'ange était venu chercher Brune et l'emmenait sur ses ailes.

Le Dauphin a pris son élan. Au moment où il a décollé, j'ai fait le vœu le plus ardent de ma vie.

Et, comme pour y répondre, une fois là-haut, le père s'est tourné vers la fille.

– Êtes-vous bien certaine que vous n'aviez jamais volé ?

Sous nos yeux se déployait la station balnéaire de Pornic. Des parasols de toutes couleurs fleurissaient sur la plage, des surfs lissaient la mer que picoraient les voiles. Un même soleil devait éclairer La Baule.

J'ai fait un autre vœu.

Comme si nous effectuions une simple balade, sans plus donner d'indications à Brune, Bruno racontait qu'il était né à Pont-Saint-Martin, tout près de l'aéroport et que sa vocation lui était venue au berceau en voyant le tracé argenté des avions vers lequel, paraît-il, il tendait ses bras.

Il n'avait jamais envisagé d'arrêter de voler. Aujourd'hui, à la retraite, son bonheur était de faire partager sa passion à d'autres.

– Qu'éprouvez-vous, Brune ?

– Une délivrance.

Une leçon ne durant que quarante-cinq minutes, il fallait déjà songer à rentrer, adieu la mer et les familles rassemblées sur le sable.

Demande d'autorisation d'atterrissage, réduction des gaz, sortie des volets... Brune a posé le

Dauphin en douceur sur le sol. Je n'inventais pas le regard d'estime du professeur sur son élève. J'inventais peut-être la question qu'il semblait lui poser : « Mais qui êtes-vous ? »

On parle de « terre ferme ». Y reposant le pied, j'ai pensé qu'elle ne l'était pas du tout. C'était là-haut que nous avions été en sécurité.

Brune a sauté légèrement de l'avion. Bruno Le Plessy a posé la main sur son épaule.

– On va faire de vous une championne.

Elle l'a fixé de telle façon que j'ai cru qu'elle allait tout lui dire. Je me suis même apprêtée à m'éclipser pour les laisser seuls. Et aussi parce que c'était à mon tour d'avoir peur.

Elle s'est contentée de désigner l'avion.

– Savez-vous ce que leurs amis disent des dauphins ? a-t-elle demandé. Qu'ils représentent la puissance, la droiture et la fidélité.

– Le pilote s'efforcera de s'en montrer digne, a-t-il répondu.

13.

Ce matin, c'est moi que l'on a interviewée. Un photographe m'a même tiré le portrait. On commence à parler dans les journaux de télévision d'une nouvelle émission intitulée : « Bonjour Tout le Monde ».

Et de sa créatrice...

Vais-je m'envoler comme Brune ?

Pas question, cette fois, de commettre la moindre erreur, aussi ai-je tenu à associer mon directeur des programmes à la préparation, de A à Z, de cette première. Nous sommes tout près de Z.

Et que ne ferait Alix pour l'amie de celle qu'il aime ? Car, aucun doute pour moi, il aime notre Blackie. Sans doute attend-il pour se déclarer qu'elle puisse lui répondre : « Moi aussi. »

Deux monstres d'orgueil.

Cet après-midi, Alix a participé à la répétition, organisée avec l'invité du 4 juillet prochain.

Il s'appelle Joël Coatmeur. Marin-pêcheur, il vend son poisson lui-même sur le petit marché où je m'approvisionne en moules et crevettes dont je fais volontiers mon unique repas avec beurre salé et pain bis.

À Pâques dernier, comme je m'étonnais de son absence en période de vacances où les touristes aiment à l'interpeller par son prénom et s'entendre rendre la pareille, on m'avait appris qu'il était à l'hôpital. Malade ? Pas du tout. Il venait de donner, en toute discrétion, l'un de ses reins à son fils : Antonin.

L'enfant, onze ans, avait déclaré forfait. Marre des dialyses, régimes et autres précautions multiples. Marre de sa petite taille et d'attendre en vain un greffon. Il avait renoncé à se battre et ingurgité une platée de frites au ketchup qui avait failli l'envoyer dans l'autre monde.

Les analyses pratiquées sur le père indiquaient que groupes sanguins et tissulaires collaient. La double opération s'était très bien passée.

J'avais pensé à Joël pour Radio-Sourire, c'est pour lui proposer de raconter son histoire sur le petit écran que je suis retournée le voir.

Son rire a dû s'entendre sur tout le port.

– Moi, à la télé ? Mais pourquoi ? Ce que j'ai fait était tout naturel.

Seule l'idée que son témoignage pourrait en inciter d'autres à donner leurs organes l'a décidé.

Il est cinq heures trente et la répétition s'achève. Elle s'est passée au mieux. Il en a à dire, Joël ! On ne pouvait plus l'arrêter. Car si, pour lui, le don était tout naturel, cela avait été le parcours du combattant en raison d'un psy qui s'y opposait, prétendant que le cadeau risquait d'être trop lourd à porter pour le fils et prétexte à dominer pour le père.

– Conneries ! Pour Antonin, c'était tout simple : plier ou non bagage.

Le « petit mazouté », comme l'appelle le pêcheur avec une infinie tendresse, sera l'interlocuteur-surprise.

La règle veut que le receveur ignore à qui il doit la vie. Mais puisque, dans le cas qui nous occupe, Antonin, plus tout un quartier de la ville, plus tous les poissons de l'Atlantique sont dans le secret, ce ne sera pas le trahir.

Caméras et projecteurs viennent de s'éteindre. Nous discutons avec le réalisateur lorsque mon portable frémit dans ma poche. Je m'éloigne pour répondre.

– Julie ? Alix est avec toi ?

Mon ventre se noue : un cri de détresse.

– Tout à côté. Que se passe-t-il, Brune ?

– Venez vite. Mon parking à l'hôtel-Dieu...

Elle a raccroché.

Je me précipite vers Alix.

– Brune a besoin de nous. Maintenant !

Sans poser de question, il s'empare de mon bras.

– On y va.

Les voitures ne m'ont jamais passionnée et j'ignore le nom de celle de mon patron. Longue, basse, intérieur de cuir beige, vêtue de clair comme son propriétaire, il le reconnaît lui-même, un brin coquet.

Brune ne se prive pas de le blaguer à ce sujet, comparant la voiture de luxe à son 4 x 4 poubelle, habitat de Marcel qui, malgré ses efforts, laisse à désirer côté propreté... et odeurs.

« On fait l'échange ? » propose-t-elle régulièrement à Alix.

– Elle ne t'a rien dit d'autre, juste « Venez » ? demande celui-ci, qui me tutoie pour la première fois sous le coup de l'émotion tandis que nous roulons vers l'hôpital tout proche.

– Rien.

Dans ma tête, un scénario s'esquisse. Brune a révélé qui elle était à son père et il l'a virée. Je n'ose en parler à mon voisin. Sait-il seulement que nous avons volé ensemble ? Mais pourquoi cet appel de l'hôtel-Dieu ?

Nous y sommes déjà.

Un essaim de blouses blanches bourdonne près du 4 x 4. On s'écarte pour nous laisser passer. Également en blouse blanche, agenouillée sur le sol, Brune parle à Marcel recouvert du chandail guenille de sa maîtresse. Les yeux du débardeur sont fermés. Il respire difficilement. Elle lui a retiré son collier et tient dans sa main quelque chose enveloppé dans un mouchoir en papier.

Alix tombe à genoux près d'elle.

– Je suis là.

Elle agrippe son bras.

– Jocelyn... articule-t-elle avec difficulté. Il nous attend. Tu peux nous emmener ? Je ne crois pas que je pourrai conduire.

Elle a un rire déchirant. Alix soulève Marcel dans ses bras et va le déposer à l'arrière de sa propre voiture. Brune se glisse près de lui. Je ramasse le collier et m'installe à l'avant. Les blouses blanches nous regardent partir en silence.

Mauvaise heure pour la circulation. Alix fait du slalom entre les véhicules dont les propriétaires klaxonnent. Enfin, la route de Mauves.

Il se tourne vers Brune qui caresse la tête du débardeur.

– *Darling, please, tell me...*

Brune lève le mouchoir en papier.

– Elle l'a empoisonné.

Je crois bien qu'elle pleure.

Je crois bien qu'Alix ne sait plus ce qu'est un feu rouge.

Elle ?

14.

Jocelyn nous attendait devant son portail. Il a boitillé jusqu'à la voiture, s'est penché vers Marcel et a soulevé l'une de ses paupières.

– Prends-le et suis-moi, a-t-il ordonné à Alix.

Décidément, tout le monde se tutoyait, ce soir.

La salle d'attente était vide. Le veto avait dû se débarrasser de ses clients. Nous sommes passés dans le cabinet où Alix a posé directement son fardeau sur la table d'auscultation. Je découvrais la pièce : rien que du blanc.

Sans un mot, Brune a montré à Jocelyn le contenu de son mouchoir : des restes de viande hachée mêlés de boules noirâtres.

– Belladone, a-t-il murmuré et le souvenir m'a terrassée.

Belladone. Belles dames...

Après une brève caresse sur le poil trempé du débardeur qui lui adressait un regard de noyé, Jocelyn lui a palpé délicatement le ventre.

– On va lui faire régurgiter tout ça, ça ira, a-t-il rassuré Brune. Je garde Alix. Julie et toi, allez m'attendre là-haut.

C'était un ordre et Brune s'est figée. Alix a entouré ses épaules de son bras et l'a conduite à la porte en lui parlant tout bas. Elle résistait, mais seulement à moitié, comme une enfant.

La porte du cabinet s'est fermée.

– Là-haut ? Mais qu'est-ce qu'il croit ? a grommelé Brune en tombant sur un siège.

Je me suis assise près d'elle et j'ai posé sur ses genoux le collier de Marcel. Elle a pris entre ses doigts la médaille de championne de saut en hauteur, qu'elle y avait ajoutée et, les yeux clos, elle l'a serrée dans sa main. Mes yeux à moi se sont mouillés : Dis, Marcel, tu ne vas pas mourir ?

– Heureusement que quelqu'un a vu qu'il n'allait pas et m'a appelée, a-t-elle constaté d'une voix cassée. Je lui laisse toujours une vitre entrouverte, surtout avec cette chaleur. C'est par là qu'elle a dû glisser sa dégueulasserie.

J'ai revu les boules noirâtres dans la viande : belladone. La plante qu'utilisaient les coquettes italiennes pour dilater leurs pupilles. Larges feuilles vertes, fleurs roses, baies noires, une plante fortement vénéneuse qui poussait en quantité en bord de Loire. Il nous arrivait, avec Violaine, d'en récolter les baies rien que pour le plaisir de faire hurler le docteur Fleury : « Apprenties sorcières... »

S'annonçant par un bref miaulement, Atys a glissé son long corps roux dans la salle. Il a sauté sur les genoux de Brune, il a longuement flairé le collier de son ami, il n'y a plus eu un, mais deux regards fixés sur la porte du cabinet où s'étranglait le débardeur.

– J'ai appelé Barbara pour lui demander d'envoyer un gamin chercher Joson, a repris Brune très vite, comme pour échapper au bruit. Quand je pense qu'il m'avait avertie deux fois. Deux fois et moi...

Son regard s'est rempli de colère : « Moi, je n'en avais plus que pour l'autre. »

Bruno.

De faibles aboiements ont retenti dans le cabinet. Ouap, ouap. Puis des voix d'hommes, un rire bref. Un rire ? Avions-nous bien entendu ?

En un éclair, nous avons été debout. Brune a tendu la main vers la porte. Je l'ai arrêtée. Atys a miaulé ; un nouvel aboiement lui a répondu. Une éternité est encore passée avant que cette porte ne s'ouvre enfin.

Le médaillé est apparu en premier. Il a marchotté jusqu'à sa maîtresse, ventre à ras de sol. Brune l'a pris dans ses bras.

– Eh bien, eh bien... pour un champion de saut en hauteur, a-t-elle bredouillé.

Moi, c'était un rire nerveux qui me secouait en voyant l'état du beau costume clair d'Alix.

Nous pourrions constater plus tard que, s'il avait perdu un costume, il avait gagné l'amitié de son rival. Marcel saurait désormais apprécier les voitures de luxe : option sièges de cuir beige.

Il a suivi Atys jusqu'aux pénates de celui-ci et s'est installé à sa place attitrée, contre la niche du chat dieu qui s'est mis aussitôt à l'œuvre : nettoyage de fourrure du vassal.

– Tu n'as pas peur de la contagion ? a essayé de plaisanter Brune.

– Combien de fois faudra-t-il te répéter qu'Atys est immortel ? a tenté de railler Jocelyn.

– Eh bien, moi pas ! Et si tu ne me donnes pas illico un verre d'eau, j'y reste, a menacé la Blackie qui veut toujours avoir le dernier mot.

Ils sont passés à la cuisine. J'ai pu entendre Jocelyn dire à mi-voix : « Il est sorti d'affaire, mais il va avoir besoin de suivi. »

Et le mot a résonné comme le message envoyé par Joson : « Attention ! »

Justement, le rebouteux apparaissait à la porte.

Son premier regard a été pour le rescapé qui lui a adressé un soupir lamentable : « Tu m'excuseras de ne pas me lever... »

Joson a sorti une fiole de sa besace et, sans la moindre difficulté, en a versé le contenu dans la gueule grande ouverte de Marcel. Celui-ci a dit : « Merci. » Atys : « Et moi ? »

Puis le « dormeur » a cherché Brune.

L'air coupable, celle-ci se tenait sur le seuil de la cuisine. Il l'y a rejointe.

– Ça ira maintenant, a-t-il promis.

Jocelyn aussi l'avait dit et le ciel s'est entrouvert.

– Un serviteur des mousquetaires, s'est présenté Alix avec humour.

Puis nous sommes passés aux choses sérieuses ; il n'y avait pas que Brune à être assoiffée.

La plupart des personnes présentes n'étaient pas du genre bavardes et, tout en vidant la classique bouteille de muscadet, ce sont surtout des regards, des murmures et des hochements de tête qui se sont échangés sous l'œil bienveillant de la grand-mère au chapelet.

D'un côté de la cheminée, se tenaient, si l'on peut dire, les « maîtres », Brune et Jocelyn en blouses blanches et le vieux druide aux pieds nus, arbre relais entre terre et ciel, porte-parole des saisons et des hommes.

Ajoutons-y Atys.

De l'autre, les profanes, Alix et moi. En un sens, les Tout le Monde.

Ajoutons-y Marcel. Durant un moment, j'ai éprouvé la même légèreté, la même saveur de ciel, qu'en volant sur les ailes d'un Dauphin.

Avant de retomber brutalement sur une terre pas ferme du tout en surprenant la question que Brune posait à Jocelyn.

– C’est elle, n’est-ce pas ?
Il n’a pas dit non.
Et pensant aux belles dames italiennes, l’épouvante m’a saisie.

15.

Au lieu de courir chez le sorcier dès que Lepape lui en avait révélé le nom, Brune avait maintenu son rendez-vous à l'aéroclub. Elle avait volé au côté du goéland argenté et n'avait plus pensé qu'à lui, si beau, inattendu, inespéré, le cœur tendu vers leur prochaine rencontre, négligeant, en toute connaissance de cause, l'avertissement de Joson.

Et Marcel avait failli y laisser la vie ! Une heure de plus, paralysé par l'atropine contenue dans la belladone, il rendait sa pauvre âme de bâtard.

Dans la poitrine de Brune, la colère explosa. Après s'être attaquée à Zabelle, c'était donc à elle, à ce qu'elle avait de plus cher, que la folle s'en prenait, un avertissement, une sommation : « Arrête de te mêler de mes affaires où tu y passeras comme les autres. »

C'est ce qu'on verrait !

Dès demain peut-être, en tout cas très bientôt, elle aurait son renseignement et serait en mesure de porter plainte. Elle y était décidée. Elle saurait convaincre les autres : le jeu devenait trop dangereux. Mais pour qu'on ne leur rie pas au nez, il fallait qu'elles puissent parler d'autre chose que de dagyde ou de boulettes empoisonnées. « Une mauvaise plaisanterie... » Voilà tout ce qu'avait trouvé à dire la gendarmerie après le cisaillage de la nourrice d'essence. Que serait-ce si elle parlait de « fantôme ».

L'envoûteur allait-il la confirmer dans ses soupçons ?

Elle déboucha place Royale.

Non loin du passage Pommeraye – Bobine – et de la place Graslin – Zabelle –, au sortir de la fameuse rue Crébillon, se dressait la femme de pierre blanche, couronnée, bras levé, qui représentait Nantes, ce point infime que la petite Brune avait un jour désigné sur son atlas : « J'irai là. »

Au-dessus de la fontaine de granit bleu, entourée de ses génies, elle veillait sur la Loire et ses affluents : le Loir, le Cher, l'Erdre et la Sèvre. Quatre comme nous, pensa Brune. Quatre suivantes du fleuve royal. Le mot n'existait pas au masculin.

On appelait ceux qui avaient conçu la place, les « architectes des lumières ». Dans l'été tout neuf, à cette heure de déjeuner, lumière et joie y explosaient; sur les visages des touristes, à la terrasse débordante du café, sous les doigts enflammés d'un guitariste et au ciel d'un bleu... aérien.

Grand beau.

Brune était venue à pied de l'hôtel-Dieu, marchant lentement, se préparant à la rencontre, sans Marcel à qui promettre : « Je reviens. »

À la fureur du débardeur, elle avait décidé de ne plus le laisser seul un instant et demandé à une voisine de s'en occuper lorsqu'elle sortait.

« Ça ira, maintenant », avait dit Joson.

Elle n'en serait certaine que lorsque celle dont elle avait toujours du mal à prononcer le nom serait démasquée. Oui, démasquée. Le mot qui convenait.

D'Ajancourt allait-il l'y aider ?

Le nom que Lepape lui avait craché au visage.

Cherchant sur Internet, Brune avait eu la surprise de découvrir que l'adresse de celui-ci était celle d'une librairie. Mais quoi d'étonnant après tout ? L'époque des vieilles sorcières au nez crochu, jetant leurs sorts du coin de l'âtre, était révolue. Aujourd'hui, les magiciens avaient pignon sur rue ; ils se faisaient de la pub dans les journaux.

Brune se tourna vers la ruelle, là-bas, où le soleil ne pénétrait pas. Elle fixa la devanture à la peinture écaillée : La Roue de la Connaissance. Hier, dimanche, venue aux renseignements, elle avait commencé par avoir un coup au cœur : un de plus !

Louis d'Ajancourt, créateur de la librairie au si beau nom, ex-instit, passionné de livres anciens, à l'écoute de tous – là, les regards se voilaient, les voix se faisaient murmures –, très certainement l'homme de don, celui dont tous lui avaient parlé avec respect, presque vénération...

Était mort depuis trois ans.

La fuite de Peter Keating, l'incendie, datant seulement de deux années, ce ne pouvait donc être lui qui avait agi avec Bertille Fleury.

Lepape avait-il cherché à l'égarer ?

Dans l'église, la vieille paroissienne qui, après la messe, ramassait sur les chaises paillées le texte des cantiques, l'avait, en quelque sorte, rassurée : Brune était sur la bonne voie. Après la disparition de Louis, Bertrand, le petit-fils, avait pris la succession.

Celui-ci avait huit ans lorsque ses parents avaient péri dans le crash d'un avion. Son grand-père, la seule famille qui lui restait, l'avait élevé. La voix de l'interlocutrice de Brune était devenue presque imperceptible. Elle avait regardé furtivement autour d'elle. On disait que l'enfant avait vu l'accident en rêve et qu'il avait en vain supplié ses parents de ne pas s'embarquer. Qu'à l'heure de la catastrophe, il avait été pris de transe et que, par la suite, il était resté muet de longs mois.

Outre la librairie, Bertrand d'Ajancourt avait-il hérité le don de son grand-père ?

La demie d'une heure sonna au clocher blanc de Saint-Nicolas. Si Brune voulait travailler un peu à son labo cet après-midi, il était temps d'y aller.

Elle leva les yeux vers le ciel, y chercha la trace argentée d'un avion.

« Tu irais, toi ? »

Tout en se reprochant d'avoir donné la priorité au Goéland, elle n'en continuait pas moins à voler avec lui.

Et bien sûr qu'il irait ! La devise de l'École de l'air n'était-elle pas : « Faire face » ?

Elle quitta la place et plongea dans la ruelle. À la porte de la librairie, elle s'arrêta.

Depuis l'enfance, avant un moment important, ou angoissant, elle se tenait toujours le même discours : « Quand tu en auras terminé, le soleil sera toujours là, les toits sur les maisons, les rues, les passants. » Traduction : « Le ciel ne te sera pas tombé sur la tête. »

Brune se tourna vers la femme couronnée et elle lui promit, l'épreuve passée, d'aller s'asseoir à la terrasse du café et de s'offrir une bière bien fraîche. « À ta santé ! »...

Elle poussa la porte.

L'odeur de papier, cuir, bois ; celle des mots, de la connaissance, l'enveloppa. « Ici et à mon labo ; même combat », pensa-t-elle avec amusement.

Même but sous des éclairages différents : en savoir plus sur l'homme, l'homme passé, l'homme présent, l'homme éternel.

À la caisse, une femme sans âge, vêtue de gris, se contenta de la saluer d'un bref hochement de tête avant de se replonger dans ses comptes.

L'endroit était vaste, le plafond bas sur les tables de présentation, aucune couverture de best-sellers, des documents, des essais, de l'Histoire. Seulement quelques personnes, en majorité masculines, remarqua-t-elle. À leur comportement, des clients.

Brune s'était préparée à ne pas y trouver tout de suite Bertrand d'Ajancourt. Elle attendrait un peu puis demanderait à le rencontrer, prétextant chercher une édition rare. On lui avait dit qu'il sortait peu. Quant à ce qu'elle lui dirait une fois en face de lui... « Ça dépendra de ton accueil, bonhomme. »

Elle s'engagea entre les rayons : littérature classique, religieuse, philosophie, sciences humaines. Au fond du magasin, elle trouva ce qu'elle cherchait : de nombreuses étagères occupées par des ouvrages traitant de sciences occultes, ésotérisme, astrologie, cartomancie, tout ce que l'on range dans le paranormal.

Le monde est énergie, et Brune avait toujours cru au don que possédaient certains de la capter mieux que d'autres et de s'en servir. Elle n'était pas loin de penser que ce pouvoir existait en chaque cerveau humain mais que la plupart des gens n'en étaient pas conscients pour ne pas y avoir accès. Lorsque le don leur était révélé, c'était la plupart du temps une épreuve. Ils se sentaient désignés, sortis du lot, à jamais différents.

À huit ans, Bertrand d'Ajancourt avait vu la mort de ses parents en rêve. Après celle-ci, il était resté muet durant de longs mois. Louis, le grand-père, homme au « sang fort », avait-il aidé son petit-fils à accepter son don et à le cultiver ?

Brune sortit un livre d'une étagère et l'ouvrit au hasard, y cherchant un signe.

Emplissant une partie de la page, une étoile à cinq branches. Elle lut : « Pentacle de Saturne : met son possesseur à l'abri des maléfices. »

Allons : les choses ne s'annonçaient pas trop mal.

Elle remit le livre en place et elle s'apprêtait à aller trouver la dame de la caisse lorsqu'un panneau pivota. Un homme apparut.

– Il semblerait que vous soyez venue pour moi, dit-il.

16.

Le plus troublant, c'est son regard : sans fond, abyssal. On n'y lit que la nuit.

Mais ce sont aussi ses cheveux, entièrement blancs, alors que, d'après ce que Brune a appris, il n'a pas quarante ans.

Un visage de souffrance dans un corps obèse.

« Faire face. »

À sa suite, elle passe de l'autre côté de la porte-étagère, de l'autre côté du miroir. La pièce est de bonne taille, sans ouvertures. Où est la lumière glorieuse de juin ? Un lustre tarabiscoté colore de glauque les piles de manuscrits et les livres en lambeaux : des grimoires ?

Au-dessus de la cheminée, le portrait d'un homme âgé au visage noble : Louis. Et Brune pense à la grand-mère au chapelet chez Jocelyn. Les initiateurs.

De part et d'autre d'un long bureau de bois noir, orné d'arabesques dorées, deux chaises en tapisserie à haut dossier.

– Prenez place.

L'homme a une voix étrange, asexuée, presque une voix d'enfant. Elle s'assoit en face de lui. Le beau couple qu'ils forment ! Laurel et Hardy ?

Patapouf et Filifer ? Elle voudrait bien avoir l'humour de Zabelle.

Sur la table, il n'y a rien, hormis une photo qu'il fait glisser vers elle. Brune la retourne et son cœur bondit : elle s'y trouve.

Le cliché a été pris sur la terrasse de la Chaloupe. Entourée de ses amies, elle rit à gorge déployée. Jamais elle ne l'avait vue, elle en est certaine. Mais n'importe qui aurait pu la prendre : Jocelyn, Fabrice, Barbara. On mitraille beaucoup les mousquetaires. À voir leurs visages, c'était à l'époque du bonheur, lorsque la maison représentait encore le refuge.

Comment cette photo a-t-elle abouti ici ?

Sans qu'elle ait besoin de poser la question, Bertrand d'Ajancourt y répond.

– Ceci a été glissé sous ma porte hier. Sans mot d'explication.

Il désigne le panneau par où elle est entrée et qui doit receler une ouverture qui lui permet de surveiller son magasin.

– Ainsi ai-je pu vous reconnaître.

Seules deux personnes savaient qu'elle viendrait dans la librairie : Lepape et Jocelyn. Ce ne peut-être que Jocelyn. Il désirait qu'elle soit reçue. « Je ferai tout pour vous aider. » Un pas en avant pour l'amitié. Un pas en arrière pour l'amour.

L'homme désigne la Chaloupe sur la photo.

– Quelle est cette maison ?

Brune demeure incrédule. Ne le sait-il pas lui qui, d'une certaine façon, l'a condamnée ? La met-il à l'épreuve pour apprendre ce qu'elle sait, elle ?

– C'était la maison d'une cliente à vous : Bertille Fleury. Est-ce ainsi que l'on dit : « cliente » ? À l'époque, elle s'appelait Cybèle.

Rien ne se lit sur le visage ni dans les yeux de l'envoûteur. Tranquillement, Brune sort de son sac la photo qu'elle-même a apportée et la fait glisser devant lui.

– Et voici la fille de Bertille Fleury sur son bateau. Nous avons acheté la maison après son départ. Nous l'avons baptisée la Chaloupe.

Totalement immobile, Bertrand d'Ajancourt regarde Violaine. Découvre-t-il son visage ? Connaissait-il l'existence de l'*Aventurine* ? De tout cela, il ne peut savoir que ce qu'a bien voulu lui en dire sa « cliente ».

– Qui vous a envoyée ?

– Personne. J'ai obligé Guy Lepape à me donner votre nom.

Un instant, le regard flambe. Il connaît le préparateur. Il ne l'aime pas.

– Pourquoi êtes-vous ici ?

Le souvenir de Marcel gémissant lui revient comme un coup de poignard. Elle désigne la photo de leur maison.

– Une femme cherche à couler notre Chaloupe. Et nous avec. Elle utilise pour nous effrayer des objets fabriqués par vos soins.

L'envoûteur ferme une seconde les yeux. Quelle grande peur a fait blanchir prématurément ses cheveux ? Pour se protéger de quels coups amasse-t-il cette mauvaise graisse ? Brune a du mal à imaginer ces mains potelées, comme celles des « baigneurs » d'autrefois, enclouant le sexe et le cœur d'une poupée.

À son interrogation, il répond à nouveau de lui-même.

– Je n'ai rencontré qu'une mère qui souffrait mille morts à l'idée qu'un étranger allait lui arracher sa fille pour toujours.

Il quitte son siège avec peine, va tirer d'un dossier une troisième photo qu'il lui envoie. À quelle sinistre partie de tarots jouent-ils ? Retournant la carte, Brune a un sursaut de dégoût.

Peter Keating.

On peut faire dire ce que l'on veut à une photo : celle-ci ment. Un bob au ras des sourcils, l'avocat rit. On ne voit que ses dents, des dents de carnassier. Pour une mère malade, un rire de prédateur.

Un sorcier ne choisit pas ses clients. Il fournit son aide à qui vient la lui demander. En aidant la femme « qui souffrait mille morts », sans s'interroger plus loin, Bertrand d'Ajancourt savait-il qu'il agissait pour le pire ?

Le regard de Brune monte vers le grand-père. C'est lui qu'elle aurait voulu rencontrer ; il exerçait pour le meilleur.

– On m'a dit qu'il était un homme de bien, murmure-t-elle.

Pour la première fois, dans les yeux du petit-fils, passe une lumière. Et, dans cette lumière, elle lit l'enfant qui a vu la mort de ses parents et n'a pu l'empêcher, l'enfant pas comme les autres, rejeté comme s'il portait la malédiction. Elle voit se tendre la main du grand-père, se transmettre la connaissance, les gestes, les prières. Elle voit les cheveux de Bertrand blanchir sous le poids d'un don que l'on ne peut refuser sous peine de mourir. Et, sous ce même poids, s'amasser les kilos dans un corps qui refuse de grandir.

Soudain, d'un geste mécanique, Bertrand d'Ajancourt pointe le doigt sur la photo de la Chaloupe.

– N'y allez plus. J'y sens des forces mauvaises.

C'est Louis qui vient de parler par la bouche de son petit-fils. Et c'est en fixant le portrait que Brune répond.

– Y aller ou non ne changera rien, ces forces sont en marche.

L'envoûteur a baissé ses paupières. Lorsqu'il reprend la parole, sa voix est d'emprunt, les mots comme dictés.

– Hier, une femme a demandé à me rencontrer. Son visage portait la haine. J'ai refusé.

– Cette femme vous a-t-elle dit son nom ? demande Brune très doucement, s'adressant toujours au grand-père.

Comme un frisson parcourt Bertrand d'Ajancourt. Il enfouit sa tête dans ses mains et elle peut sentir sa lutte ; lui aussi est en danger. Il a peur. Non, elle n'a rien inventé. Va-t-il prononcer le nom ? Le ventre de Brune se noue.

D'un geste brusque, il dégage son visage, reprend les photos, les jette dans un tiroir.

– Ne vous ai-je pas dit que je ne l'avais pas reçue ?

Voix d'enfant. Voix de fausset.

Il se lève. Après avoir repris sa photo, elle l'imite.

– Par là, ordonne-t-il.

C'est vers une porte cachée par une tapisserie qu'il l'entraîne. Cette pièce-là est petite, éclairée par un chandelier à cinq branches où brûlent des cierges noirs : les cinq étoiles du pentacle.

Sur le sol, des dessins tracés à la craie semblent marquer les limites à ne pas franchir. Brune reste en dehors. Deux sièges côte à côte.

Un jour, Bertille Fleury a pris place sur l'un d'eux et elle a montré la photo truquée d'un homme à éliminer.

Bertrand d'Ajancourt ouvre une autre porte. C'est par là que la Capitaine est entrée : une ruelle si étroite que l'on pourrait se serrer la main d'une fenêtre à l'autre.

– Merci, dit Brune.

Bertrand ne répond pas, mais, durant quelques secondes, elle sent une chaleur intense sur son épaule. Est-ce la main du petit-fils ou celle du grand-père qui la pousse vers son destin ?

Autour de la femme en pierre blanche, l'animation est la même, le ciel n'a pas changé de couleur, la terrasse du café est pleine.

Au coin de la ruelle, il semble à Brune voir fuir une ombre.

17.

Il était huit heures du matin et Zabelle, notre couche-tard, émergeait à peine lorsque Jean-François Thierry l'avait appelée.

La voix du maire de Mauves était à la fois défaite et accusatrice. Zabelle ne lui avait-elle pas reproché récemment de lui avoir caché le passé de Cybèle ? Eh bien, qu'elle vienne de toute urgence voir le présent à l'œuvre. Et, surtout, qu'elle emmène Brune avec elle. Guy Lepape venait de se suicider.

– Mais quel rapport avec Brune et Cybèle ? avait bafouillé Zabelle aux abois, tout en tâtonnant à la recherche de la cafetière, au pied de son lit, pour la mettre en marche.

– On a vu votre chère amie entrer chez le pauvre homme récemment. Et, pour Cybèle, il a laissé un message clair.

– Quel message ?

– On vous le dira quand vous serez là.

Je m'apprêtais à partir pour France 3 quand Zabelle m'a appris la nouvelle.

Mort, Guy Lepape ?

Elle n'était pas arrivée à joindre Brune – sur répondeur. Au besoin, pourrais-je passer l'avertir à l'hôtel-Dieu ? Pour Bobine, à moi de voir ce que je voulais faire. Zabelle filait tout de suite sur sa moto. Rendez-vous à Mauves.

Suicidé, le préparateur ?

Je venais d'avertir Bobine quand Brune m'a appelée.

– Je vous interdis d'y aller.

– Si ce n'est pas toi qui nous emmènes, je prends ma voiture. On est toutes concernées.

– Décidément, vous êtes impossibles ! a-t-elle crié.

Elle est passée nous prendre à l'entrée de Pommeraye quelques minutes plus tard, visage d'orage, mâchoires serrées.

Sa voiture sentait la boulette empoisonnée, l'angoisse. Vendredi, l'attaque contre Marcel... Aujourd'hui, la mort de Lepape... Les choses s'emballaient. Qui avait parlé de sablier cassé ? de temps arrêté ?

Pour Marcel, nous avions affranchi Zabelle, pas encore Bobine et elle s'est étonnée de ne pas le voir.

– Qu'est-ce que tu en as fait ?

– Je l'ai laissé à la maison. Intoxication alimentaire, a répondu Brune brièvement.

Bobine a entamé une litanie de questions : une intoxication à quoi ? Comment Brune soignait-elle le débardeur ? Et, pour Guy Lepape, était-on vraiment sûr qu'il s'agissait d'un suicide ? Et pourquoi le maire voulait-il la voir, elle, tout spécialement ?

Brune a allumé ses feux de détresse, elle a arrêté son 4 × 4 en pleine circulation, s'est ployée en arrière et a ouvert la portière de Bobine dans un concert de klaxons furieux.

– Tu sors ou tu la boucles. Tu es encore plus insupportable que l'âne de Shrek.

Sous l'insulte, Bobine a perdu et le souffle et la voix.

Deux voitures de gendarmerie étaient arrêtées sur la place de la pharmacie. Maintenue à l'écart de celle-ci par les rubans jaunes d'un périmètre de sécurité, une petite foule grondait.

Zabelle et Barbara ont couru à notre rencontre. Zabelle a pris le bras de Brune.

– On va sûrement t'interroger, l'a-t-elle prévenue à voix basse. Les gendarmes veulent savoir si Lepape était dépressif. Je leur ai dit que je n'en savais rien.

– Est-ce qu'on est certain pour le suicide ? a demandé Brune d'une voix sourde, et Bobine a pris l'air modeste.

– Le médecin est affirmatif : poison ! On a trouvé un flacon près de lui. Il faut dire qu'il avait tout le nécessaire sous la main.

Elle a soupiré.

– Je n'appréciais pas trop le bonhomme, mais quand même...

Brune a levé les yeux vers les fenêtres du premier étage. Les volets étaient fermés.

– Il est encore là ?

– On vient de l'emmener pour l'autopsie.

– Et le message ? Le maire a bien dit qu'il avait laissé un message ?

Le visage de Zabelle s'est brouillé. C'est Barbara qui a répondu.

– Ses patrons l'ont trouvé mort sur sa table de billard. Vous savez ? Celle qui était à Cybèle.

Bobine a crié.

Brune a fermé les yeux. Un poing d'acier se refermait sur mon cœur. Si nous savions ! La table du Roi-Soleil.

– Les voilà, nous a averties Zabelle.

Suivi des yeux par les Malviens, le maire, accompagné d'un gendarme, se frayait un chemin vers nous. Son visage était hostile. Il ne nous a pas serré la main.

Le gendarme a porté deux doigts à son képi et s'est tourné vers Brune.

– Madame Porter, je pense ? Un voisin a vu votre véhicule sur cette place la semaine dernière. Avez-vous rendu visite à M. Lepape ?

– C'est exact, a répondu Brune, dents serrées.

– Cette visite avait-elle un but précis ?

– Je cherchais à en savoir davantage sur ceux qui habitaient autrefois la maison dont je possède une part, les Fleury.

– Cybèle, a précisé le maire au gendarme.

Lui avait-on raconté nos ennuis ? Que savait le militaire du passé trouble de notre maison ? Qu'était prête à lui en dire Brune ? « Il y a des mots qu'il vaut mieux éviter de prononcer. Ici les gens n'aiment pas ça. » Par exemple le mot « sorcier ».

Quelques personnes s'étaient approchées, dont le patron du Café des Rencontres. Il avait perdu cette nuit son client le plus prestigieux, celui à qui il devait les coupes dans sa vitrine. Se souvenait-il d'une partie mémorable où notre Blackie avait affronté le préparateur ? On ne pouvait dire que son regard était tendre.

– Le soir où vous êtes venue voir M. Lepape, comment l'avez-vous trouvé ? a demandé le gendarme.

La réponse de Brune nous a étonnées.

– Avant de vous répondre, me serait-il possible de voir sa chambre ?

Et comme le militaire hésitait, elle a ajouté : « Il m'a semblé qu'il attendait quelqu'un. »

– Dans ce cas, suivez-moi.

L'invitation ne s'adressait qu'à elle ; nous sommes restées avec le maire.

La pièce est à peu près dans l'état où Brune l'a découverte une huitaine auparavant. Sur la table basse, les verres n'ont pas bougé, opaques. Si la visiteuse est venue, elle n'a pas trinqué avec Lepape.

En revanche, sur le tapis vert, les billes ont changé de place. Elles sont regroupées dans un angle, les blanches entourant la rouge.

Il ne reste que la queue du préparateur, celle de Violaine a disparu.

– Alors ? demande le gendarme.

Brune désigne la photo représentant Violaine et Lepape.

– À votre place, je chercherais de ce côté : cette jeune femme était la fille du docteur Fleury, le propriétaire de Cybèle... Ainsi que de cette table.

– Vous avez dit « était » ? s'étonne le gendarme.

– C'est cela l'ennui, voyez-vous. Ici, tout le monde vous dira qu'elle est morte.

18.

Zabelle a dévalisé le rayon viennoiseries de la boulangerie et nous a entraînées à la Chaloupe.

Nous n'y avions pas remis la patte depuis la visite de Rosa Davis. Elle avait des affaires à y récupérer et puisque Brune nous interdisait d'y aller seules – on aurait d'ailleurs bien aimé savoir pourquoi – elle allait profiter de l'occasion ; qui l'aime la suive.

Barbara a été la première à lever le doigt.

Les maraîchers avaient envahi notre île, travaillant à des tapis de toutes les couleurs dans le ronronnement des machines et des envolées d'oiseaux. Derrière ses stores baissés, notre maison se taisait.

Nous nous sommes arrêtées sur la terrasse ensoleillée. Où étaient nos projets de bronzage – topless pour Bobine –, balades sur la Loire et joyeuses fêtes où nous nous gagnerions le cœur des Malviens ?

Des touffes d'herbe poussaient entre les dalles, la toile rayée des transats, choisie avec amour, moisissait dans la remise, les plantations savamment étudiées de Bobine dépérissaient faute de soins.

Nous nous sommes cachées derrière les fenêtres closes, serrées autour du repas-réparation d'usage après deuil. Brune n'avait pas encore prononcé un mot.

Où était la rayonnante élève de l'aéroclub de Loire-Atlantique ?

– C'est la première fois que je viens sans Marcel, a-t-elle constaté d'une voix enrouée.

– Comment va-t-il ? a demandé Barbara. J'ai appris ce qui était arrivé.

– Pour cette fois, il est tiré d'affaire.

Bobine a dressé l'oreille ; sa peur d'être écartée lui fait sentir d'instinct lorsqu'on lui dissimule quelque chose.

– Est-ce que j'ai le droit de poser une question ?

– On t'écoute, a répondu Brune, résignée.

– Qu'est-ce qui est arrivé, de quelle affaire il est tiré, Marcel ? T'avais pas dit que c'était une intoxication alimentaire ?

– Confirmé, a répondu Zabelle. Intoxication pratiquée par une belle dame. Belle dame... belladone... ça ne te rappelle rien, Bobinette ?

Le temps que l'information fasse son chemin dans le cerveau de notre « simple » – plante médicinale poussant également en bord de Loire –, Zabelle s'est adressée à Brune.

– Tu ne crois pas qu'il serait temps de nous mettre au courant ? Qu'est-ce qu'il t'a dit, Lepape ?

Le visage de Brune s'est fermé.

– Il m'a donné le nom de l'envoûteur : Bertrand d'Ajancourt. Libraire près de la place Royale. Je l'ai rencontré avant-hier.

Bobine a poussé un cri.

– Le sorcier ? Tu l'as rencontré ?

– Merci de nous avoir tenues au courant, a dit Zabelle d'une voix glacée. Merci beaucoup. Et alors ?

– Alors, je ne le conseillerais pas à Julie pour son émission. Il risquerait de faire fuir les spectateurs.

La voix était forcée, comme le rire qui a suivi.

– Ça suffit, Brune, a explosé Zabelle. Il me semble qu'on a le droit de savoir. C'est quand même nous qui...

– Qui êtes les vraies, les pures, les authentiques mousquetaires, on l'a compris, l'a coupée Brune. Il me semblait que ce qui était arrivé à Marcel m'ouvrait une petite porte dans le clan.

– À condition de mettre les autres dans le coup.

– Eh bien, allons-y pour le coup. D'Ajoncourt n'a pas nié sa collaboration avec « votre » Capitaine. « Votre » dagyde et autres diableries étaient bien de sa main. L'ennui, c'est que je n'ai pas pu en tirer davantage, sinon qu'il sentait des forces mauvaises sur « votre » baraque et déconseillait d'y aller.

Elle s'est tournée vers Barbara.

– Même si tu n'es pas non plus du noble clan, le conseil est valable aussi pour toi ; jusqu'à nouvel ordre.

Barbara a incliné la tête. Elle se tenait prudemment à l'écart du débat.

– Ces forces mauvaises, les a-t-il nommées ? ai-je demandé.

– Je l'en ai prié. Ma question a sonné la fin de l'audience.

L'air mauvais, Brune s'est plongée dans sa tasse de café. Chapitre clos pour le sorcier. Nous n'en tirerions pas davantage.

J'ai attaqué sous un autre angle.

– Tu as dit au gendarme que Guy Lepape attendait quelqu'un. Sais-tu de qui il s'agissait ?

Le regard de Zabelle a volé vers le mien ; nous pensions à la même personne.

– J'espère le savoir très bientôt, a répondu Brune à voix basse.

– Et moi, j'en ai marre de vos mystères, j'y comprends rien, a piaillé Bobine en se levant. Et d'abord, je déteste le noir.

Elle a attrapé un pain au chocolat et elle est allée à la baie. Elle a tout ouvert, stores et vitres. Le soleil, les bruits, les odeurs, la vie, nous ont été rendus. Merci, Bobine !

Et merci également de nous servir de prétexte pour ne pas prononcer un nom à haute voix.

Le portable de Barbara a sonné. Elle s'est éloignée pour répondre. Brune s'est penchée vers Zabelle et moi.

– S'il vous plaît, laissez-moi encore un peu de temps. Je voudrais être tout à fait sûre... J'attends un renseignement de New York.

À nouveau, j'ai croisé le regard de Zabelle. Sa colère était passée. Brune ne venait-elle pas de nous répondre ? New York !

– Et Jocelyn ? a râlé Bobine en retombant sur le canapé. Vous me direz pas qu'il était pas au courant pour Lepape ? Alors pourquoi on l'a pas vu ce matin ? C'est aussi un mystère, Jocelyn ?

Zabelle a posé la main sur son épaule.

– Tu vois, Bobinette, Jocelyn et Lepape avaient un point commun : tous les deux avaient joué sur la table du Roi-Soleil. Et tous les deux aimaient la même personne.

Et cette réponse était un message envoyé à Brune : Zabelle et moi étions prêtes à entendre la vérité.

Il est deux heures. Nous avons fini les viennoiseries et vidé une seconde cafetière. On dirait que nous n'arrivons pas à nous séparer.

C'est que, le jour où nous nous retrouverons entre ces murs – à nouvel ordre –, nous n'osons imaginer dans quel état ils seront. Nous itou.

Barbara donne le signal. C'est le service social de la mairie qui l'a appelée : elle y travaille au « quatrième âge ».

– Vous, je ne sais pas, mais moi il y en a qui m'attendent. Il paraît même que ça rouspète.

– Tu en as de la chance, murmure Zabelle.

Nous nous levons. Barbara se dirige vers le coffre.

– Je prends ma queue. On joue quand, Brune ? Si ça continue, je vais tout oublier.

Signe de solidarité envoyé à son professeur ; qui ne s'y trompe pas.

– Prends aussi la mienne. Ce sera quand tu voudras. À condition qu'on m'accepte encore... au Café des Mauvaises Rencontres.

– Compte sur moi pour préparer le terrain, le patron m'a à la bonne.

Barbara ouvre le coffre et pousse un cri d'étonnement.

– Vous avez repris les vôtres ?

Elle s'adresse à Zabelle, Bobine et moi. Nous la rejoignons.

Il ne reste que deux queues dans le coffre : la sienne et celle de Brune. Les nôtres, les vraies, les pures, les authentiques, offertes par le docteur Fleury à ses mousquetaires, ont disparu.

19.

Ce renseignement que Brune attendait de New York était un nom et je savais lequel. Celui d'une femme que j'appelais la « folledingue » pour me protéger encore un peu de l'horreur absolue.

Depuis quand l'avais-je deviné ?

Sans doute depuis le tout début de notre histoire avec la Chaloupe, la pendaison de crémaillère, lorsque, les invités partis, nous avions découvert le talisman près de la cheminée et que, derrière la porte fermée de notre ancienne amie, il m'avait semblé l'entendre m'appeler.

Puis il y avait eu la « femme en noir », ou plutôt ce fantôme, entrevu place Graslin le jour de l'anniversaire de Zabelle. Et, plus tard, la confidence de celle-ci sur son lit d'hôpital : un parfum nommé Voyage, senti dans la maison, dont nous ne connaissions qu'une seule personne à le porter.

Et toute la suite n'avait fait que confirmer ce que je refusais d'accepter.

Celle qui nous en voulait à mort était Violaine.

Zabelle aussi le savait. Son regard me l'avait souvent dit. Mais si nous ne parvenions pas à prononcer le nom, c'est que le « comment » nous échappait. C'était Violaine et ce n'était pas elle, une vérité et un mensonge, une évidence et une impossibilité.

Alors, pauvres de nous, lâches que nous étions, nous nous étions fabriqué un leurre, une chimère appelée Peggy Lassalle.

La seule que le soupçon n'avait sans doute pas effleurée était Bobine, notre insupportable curieuse, notre bienheureuse innocente. Et, comme le destin aime jouer avec les humains, c'est par son intermédiaire que la vérité a éclaté.

Dans une musique d'orgue.

L'inconnue est entrée à la Baguette Magique au cœur de l'après-midi de samedi. Entre trente et quarante ans, très blonde, très belle, yeux bleus, taille mannequin. Pas du tout le genre de cliente que notre miss China avait l'habitude de servir.

Elle s'est dirigée droit vers elle.

– Vous êtes bien Bobine ?

Seuls les intimes connaissaient le surnom de celle-ci et elle est restée bouche bée. La femme s'est alors nommée.

– Je suis Peggy Lassalle. Il paraît que vous me cherchez ?

Ici, Bobine s'est montrée épatante. Elle n'est pas tombée dans les pommes, elle n'a pas crié. Elle a répondu : « Pouvez-vous m'excuser une seconde ? » et elle a couru se mettre à l'abri dans sa réserve d'où elle nous a appelées au secours.

Grâce à sa moto, en cinq minutes, Zabelle était là. Je travaillais chez moi, il ne m'a fallu qu'un petit quart d'heure pour arriver. Occupée avec sa mouche, Brune a mis un peu plus de temps.

L'écriteau « Fermé » est suspendu à la porte de la boutique. Sous la menace de servir nous-mêmes le thé, nous avons réussi à faire sortir Bobine de sa cachette. Autour d'une table ronde, dans le coin salon, nous écoutons le récit de celle sur qui nous nous sommes raconté tant d'histoires.

Gaie et spontanée.

– Vous savez que je vous connaissais ? Violaine adorait parler de ses mousquetaires. Elle m'avait même montré des photos. Elle avait une drôle d'expression : elle disait qu'avec vous c'était l'âge de cristal.

Nostalgique.

– Toutes les deux, on formait une sacrée équipe à Ancenis. Je lui disais : « Pourquoi tu n'essaies pas de les retrouver ? » Mais Violaine était comme ça, elle ne vivait que pour l'instant : ici et maintenant. Et puis elle s'est fiancée à son Australien.

Soudain assombrie.

– Elle avait décidé d'aller vivre là-bas. On devait continuer ensemble jusqu'à son départ. Mais les choses se sont gâtées. Peter se détachait, elle ne comprenait pas pourquoi. J'essayais de la rassurer, il l'aimait. Et un jour elle n'est pas venue. J'ai appelé. Ça ne répondait nulle part. Je suis allée à Mauves : une partie de Cybèle avait brûlé, l'horreur. On m'a dit que tout le monde était parti. Je n'ai plus jamais eu de nouvelles. J'avoue que je lui en ai voulu : un petit coup de fil, ça n'aurait pas été difficile. J'ai vendu l'agence et je suis retournée à Rennes : le berceau de la famille, comme on dit.

Elle se secoue, nous regarde tour à tour avec un sourire.

– Et ce matin – j'étais passée vider ma cave à Ancenis –, on m'a appris que vous me cherchiez. Vous n'aviez pas laissé de numéro. Heureusement que je me souvenais de Bobine.

La petite se rengorge, fait même ressortir le double cadeau de Zabelle sous la trop ample tunique chinoise. N'est-ce pas grâce à elle, à son sang-froid, que nous avons retrouvé Peggy ?

– Et vous n'avez jamais essayé de joindre Violaine là-bas ? demande Brune d'une voix prudente, « là-bas » pouvant désigner tant Sydney que New York.

– J'ai préféré tirer un trait, cette histoire était trop glauque.

Elle regarde notre Blackie d'un air interrogateur.

– Vous faisiez partie de ses amies ? Excusez-moi, mais elle ne m'avait pas parlé de vous.

– Je suis venue après. Personnellement, je ne l'ai pas connue.

– Nous avons racheté Cybèle ensemble il y a quelques mois, explique Zabelle.

– Une jolie maison, approuve Peggy. Mais la mère était un peu lourde.

Bobine nous fixe d'un regard impatient : qu'attendons-nous pour tout raconter à notre visiteuse ? Les sourcils froncés de Brune le lui interdisent.

Peggy Lassalle se lève.

– Je vais vous laisser. Je n'avais pas prévu l'arrêt Nantes. Je suis attendue à Rennes pour dîner.

Elle a un sourire heureux.

– Je me marie dans trois semaines : un garçon du cru. Vous voyez, pas aussi aventureuse que Violaine.

Elle nous précède vers la sortie. Je comprends qu'on l'ait appelée la « Miss ». Elles devaient en jeter, la brune et la blonde, quand elles débarquaient quelque part ensemble.

– À propos d'aventure, je suppose que vous connaissiez son bateau ? demande Brune.

– L'*Aventurine* ? Bien sûr. J'ai même été invitée à y naviguer. Une merveille. Violaine l'habitait plus ou moins avec son Peter. Elle projetait de le faire venir à Sydney.

– Savez-vous ce qu'il est devenu ? On nous a dit qu'il avait été vendu après son départ.

– Pensez-vous ! Jamais le docteur Fleury n'aurait fait une chose pareille. C'étaient tous les amours de Violaine. Des amis m'ont dit l'avoir vu récemment du côté de Thouaré.

Un signal d'alarme hurle dans ma tête. Thouaré ! À quelques encablures de Mauves. Zabelle a pâli : le sabotage de la plate...

Nous arrivons à la porte. Samedi, juin, beau temps : nombreux sont les badauds sous la verrière du passage Pommeraye. Malgré moi, mon regard fouille parmi eux. Peggy sort une carte de son sac et la tend à Brune.

– Si vous avez des nouvelles, appelez-moi quand même.

Nous regardons disparaître notre chimère. Sois tranquille, la Miss, nous ne t'appellerons pas. Cela risquerait de gâcher ton mariage.

Et, soudain, Bobine réalise.

– Mais si c'est pas elle, alors c'est qui ?

20.

Deux femmes ont voulu entrer. Brune les a repoussées sans ménagement.

– Excusez, mesdames, on fait l'inventaire.

Sous les yeux incrédules de Bobine, elle a remis l'écriteau « Fermé » et donné un tour de clé.

– Venez, a-t-elle ordonné.

Retournant à la table où nous avions entouré Peggy, je n'osais regarder Zabelle. Nous y étions ! Brune allait prononcer le nom redouté. Peggy ne nous avait-elle pas indiqué où, très probablement, notre persécutrice se cachait ?

Et si Brune avait été chirurgien, elle aurait eu ce visage résolu, imperméable à tout sentiment personnel : le temps de trancher dans le vif.

D'ailleurs, elle a songé à l'anesthésie.

Son regard a fait le tour des rayons.

– Toujours pas d'alcool, ici ?

– Non, mais je peux préparer du thé si tu veux, s'est précipitée Bobine. Je vais en chercher, j'en ai un nouveau, tout frais...

Elle a fait un mouvement vers la réserve. La main de Brune l'a arrêtée.

– Il me semble que tu m'as posé une question ?

– Je retire la question, l'a interrompue Bobine. C'est pas Peggy, c'est pas Peggy, voilà ! Moi, il me semble que ça suffit comme ça pour aujourd'hui. Et, en attendant, je rate des ventes. On voit que vous n'êtes pas commerçantes.

Brune n'a pas retiré sa main.

– La réponse, Zabelle et Julie la connaissent : la femme en noir, c'est Violaine.

Bobine est tombée sur sa chaise et elle s'est mise à rire.

– Violaine ? Mais qu'est-ce que tu racontes ? On l'a vue sur la cassette. On sait bien que c'était pas elle.

Elle a agrippé le bras de Zabelle.

– Tu lui as même parlé le jour de ton anniversaire, tu te rappelles ? Et tu as dit qu'elle lui ressemblait, c'est tout.

– Juste une ressemblance, c'est exact, a acquiescé Zabelle d'une voix blanche.

Et elle a fixé Brune, lui ordonnant de continuer.

– Julie, dis-leur que c'est pas possible, a crié Bobine.

Je me suis souvenue d'une soirée où Rosa Davis avait chanté pour nous.

– Courage, Bobine. Pense à Toussaint Laventure.

Le Toussaint qui avait rompu ses chaînes.

Elle n'a plus résisté.

– J'ai eu cette nuit le renseignement que j'attendais, venant d'une clinique chirurgicale à New York, a repris Brune. Clinique dite de réparation, spécialisée dans la greffe de visage. Violaine y a été admise il y a environ deux ans. Elle en est sortie neuf mois plus tard, après avoir bénéficié de la face d'une jeune accidentée de la route.

Elle avait parlé d'une voix nette, allant droit au but en bon chirurgien qu'elle était. Un silence d'épouvante est tombé. Zabelle semblait statufiée. Elle se tenait totalement immobile, comme si son seul souci était de ne pas offrir de prise à la peur. Moi, je serais bien allée me cacher dans la réserve.

– J'ai même eu droit à quelques détails, a poursuivi Brune. Entre confrères, n'est-ce pas ?... Les cheveux et les yeux, tout comme le corps, ont été épargnés par le feu.

– Mais bien sûr... C'était évident, ai-je murmuré. Tellement évident.

Violaine brûlée lors de l'incendie qu'elle avait elle-même provoqué. Violaine disparaissant, emmenée à New York par son père. Toutes les pièces du puzzle s'assemblaient, les trous noirs s'emplissaient.

Greffe de visage.

Celle-ci se pratiquait de plus en plus aux États-Unis. Et le destin continuait à s'amuser, cette fois avec moi. Dans très exactement une semaine, lors de ma première à France 3, ne serait-il pas question de greffes ? Lors de la pause, un professeur parlerait de dons d'organes, reins, foies, cœurs. Pourquoi pas de visages ?

– Mais si c'est elle, si c'est VRAIMENT elle, a chevroté Bobine désespérément, pourquoi elle s'attaque à nous ? Qu'est-ce qu'on lui a fait ? On était ses amies, non ? Peggy vient de le dire, elle savait même que je travaillais ici.

– J'y ai réfléchi, a répondu Brune d'une voix plus douce. Je pense que, ne pouvant se montrer à Peter avec son nouveau visage, certaine qu'il la rejetterait, Violaine est devenue folle. Et lorsqu'elle rentre en France, qu'apprend-elle ? Sa maison a été rachetée par vous, ses amies en effet, restées belles, intactes, l'avenir devant elles. En vous choisissant, le pauvre docteur Fleury ne se doutait pas de ce à quoi il vous exposait.

– Elle se venge, a murmuré Zabelle.

– De ce qu'elle considère être une injustice. Pourquoi pas un crime... de lèse-majesté.

Bobine a regardé avec terreur à l'extérieur, comme si elle s'attendait à voir apparaître un fantôme. Et, sans doute, Violaine était-elle bien venue rôder par ici. Et peut-être avait-elle écouté mon émission à Radio-Sourire. Et, lors de l'anniversaire de Zabelle, elle avait été place Graslin...

Là aussi un trou noir s'est empli : Fabrice.

Nous n'avions jamais su qui avait dénoncé le couple au père. « Une voix de femme, une voix inconnue », avait dit Édouard Lebrun.

– Maintenant, je vais me livrer à des suppositions, a repris Brune. Violaine a voulu me punir de me mêler de ce qui ne me regardait pas en empoisonnant Marcel. La belladone : autre signature. C'était son retour qu'attendait Guy Lepape. En se montrant à lui telle qu'elle était devenue par ses bons soins, elle a provoqué son suicide. L'envoûteur, Bertrand d'Ajancourt m'a appris qu'une femme au visage plein de haine le cherchait. À lui aussi, Violaine avait quelques raisons d'en vouloir. Il le savait. Il la craignait.

La voix de Brune était à présent lourde, lasse. Ce n'était plus celle du chirurgien. Ce n'était plus elle qui tenait le bistouri.

– Autre supposition. Lorsque nous avons acheté la maison, Jocelyn ne savait rien. Sinon, croyez-moi, il s'y serait opposé. Violaine devait être encore aux États-Unis. Quand a-t-il appris qu'elle n'était pas morte ? qu'elle était de retour ? Je l'ignore. Pour le présent, sachez que son cabinet est fermé depuis le suicide de Lepape. Personne ne sait où il est. J'ai la faiblesse de croire qu'il tiendra sa promesse : nous aider. Mais pour plus de sécurité, j'ai averti police et gendarmerie. Je leur ai faxé ce matin les coordonnées de la fameuse clinique. Me reste à leur signaler la présence de l'*Aventurine* dans nos eaux. À Thouaré, peut-être. Cela ne devrait pas les étonner outre mesure : le nom a été évoqué lors du sabotage de la plate.

– Je... je crois que je vais retourner chez maman, a bredouillé Bobine.

– Et nous, qu'est-ce qu'on fait ? ai-je demandé.

– On essaie de se tenir prêtes.

21.

Mayday, mayday, mayday...

Le SOS que lance à la tour de contrôle le pilote en toute dernière extrémité : son appareil le lâche, les commandes ne répondent plus. Aura-t-il la possibilité d'ouvrir son parachute ?

Trois fois *Mayday*, comme les trois amies de Brune qu'elle avait, par sa légèreté, entraînées dans la tourmente.

La pimbêche, les suivantes, SES mousquetaires... Violaine ne s'occupait que d'elle et de l'instant présent. Chaque parole de Peggy l'avait confirmé. Elle ne s'intéressait aux autres que dans la mesure où ils lui étaient utiles, servaient ses desseins, où elle pouvait, dans leur regard, se mirer, s'admirer. Une seule personne avait-elle une seule fois parlé à son sujet de générosité, de gratuité ? Jamais. Pas même Jocelyn.

Était-ce l'amour exclusif, l'adoration d'une mère, qui avait fait d'elle cette déesse au cœur froid ? Mère abusive, enfant roi, qui devient enragé lorsqu'on lui résiste. Brune n'avait pas su deviner le monstre d'égoïsme qui se cachait sous les descriptions qu'on lui avait faites de Violaine. Elle qui se targuait de deviner les êtres, la scientifique à qui chaque jour ses expériences apportaient un peu plus de lumière sur la complexité du cerveau humain, avait sous-estimé l'adversaire et se retrouvait aux prises avec une folle pleine de haine et de colère.

Après avoir perdu la face.

Lorsqu'une déesse meurt, n'enterre-t-on pas ses suivantes avec elles ? Ah, il ferait beau voir que ses amies continuent à vivre alors que le soleil s'était éteint pour elle. L'âge de cristal étant révolu, Violaine le brisait. Cachée sur son bateau, elle préparait le départ au tombeau.

Et tout ce que Brune avait été foutue de répondre à Julie.

– Essayons d'être prêtes.

Avec quelles armes ? quels parachutes ?

Mayday, mayday, mayday.

Durant la seconde leçon de pilotage, celui que Brune appelait le « goéland » argenté pour ne pas dire « papa », et ne pas exprimer son admiration et son espoir, lui avait expliqué le tableau de bord du Dauphin. Il lui avait montré comment entrer en contact avec la tour de contrôle. Un jour proche, ce serait elle qui demanderait l'autorisation de décoller.

Et, s'élevant dans le ciel à ses côtés, elle avait éprouvé à nouveau, jusqu'à la douleur, le sentiment de libération, et elle aurait voulu être avec lui dans le Concorde et qu'il les emmène loin. Plus loin.

Mais le Concorde n'existait plus.

Côté météo, ce n'était pas « grand beau » comme avec Julie, et ils avaient traversé des zones de turbulences avant d'atteindre les deux mille pieds et de prendre leur vitesse de croisière. Puis, le calme revenu, tout en lui montrant comment tenir le cap, le pilote l'avait interrogée sur elle.

– D'où venez-vous, Brune ?

– De New York.

– Mais je connais très bien, s'était-il exclamé. J'y ai souvent fait escale. Dans quel quartier habitiez-vous ?

– Du côté de Central Park.

– Si vous me racontiez comment, de Central Park, on atterrit à Nantes ?

Brune avait vu son doigt d'enfant pointé sur une mappemonde, vers un minuscule pays entouré de bleu.

– J'avais entendu dire qu'il faisait bon vivre en France.

Bruno Le Plessy voulait en savoir plus. Elle avait alors parlé de ses longues années d'étude, ses envies... de changement d'air, un poste de chercheuse qui se trouvait libre à l'hôtel-Dieu.

Il avait eu un grand sourire.

– Finalement, il ne vous manquait que de voler, c'est cela ?

Très exactement.

Au sol, il faisait gris, il faisait danger. Où Brune en serait-elle lorsqu'elle reviendrait prendre sa troisième leçon ? Où en seraient-ELLES ? Une semaine... Soudain cela lui avait semblé insurmontable.

Elle avait passé la main le long des lignes bleues et rouges du Dauphin. Les dauphins ont un sixième sens qui leur permet de distinguer l'ami de l'ennemi et se défendre des prédateurs. Les dauphins sont les amis des humains.

Elle s'était jetée à l'eau.

– Connaissez-vous Rosa Davis ?

Bruno Le Plessy s'était immobilisé, les yeux écarquillés.

– Rosa ? Mais bien sûr. Vous avez fréquenté son cabaret ?

Il était tout content, à mille lieues de se douter de ce qui allait lui tomber sur la tête. Brune pouvait encore reculer.

Elle disait volontiers que le courage n'était qu'un phénomène chimique, une montée d'adrénaline provoquée par la peur. Il lui avait fallu de l'héroïsme pour continuer.

– Je suis sa fille. Et la vôtre.

Le sourire du pilote avait disparu, laissant place à une expression de stupeur. D'effroi ? De réprobation ?

– Pardon ?

Remontant du plus loin, une lame de fond avait balayé les rêves de la petite fille, le français première langue et une carte postale jaunie.

– Si on n'a même plus le droit de plaisanter, avait-elle lancé.

Et, le temps de regagner sa voiture, la championne de saut en hauteur l'était devenue de course à pied.

Mayday, mayday, mayday.

22.

Il était trois heures, ce mercredi. Je travaillais à France 3 avec Frédéric quand le téléphone a sonné. C'est lui qui a décroché.

– Bureau de Julie Guillemin, a-t-il annoncé pompeusement en m'adressant un clin d'œil.

Que je lui ai volontiers retourné.

Il m'a tendu l'appareil.

– Ton boss. Pas un certain Brissac, l'autre, le favori.

– Pouvez-vous venir, Julie ? a demandé Alix.

Le « tu », inauguré lors du sauvetage de Marcel, avait fait long feu. Cela m'arrangeait ; il y a des gens plus difficiles à tutoyer que d'autres.

Le bureau d'Alix était proche du mien. Il m'y attendait, debout devant la fenêtre. Il a tourné vers moi un regard soucieux.

– Savez-vous où est passée Brune ?

Je ne l'avais pas revue depuis la visite de Peggy à la Baguette Magique. Nous avions décidé de nous appeler chaque jour. « Pour nous assurer que nous sommes toujours vivantes ? » avait essayé de plaisanter Zabelle. J'avais eu Brune à l'appareil hier matin.

Avait-elle mis Alix au courant de ce qui se passait à la Chaloupe ? Connaissant notre maniaque de la discrétion, nous évitions de parler d'elle en son absence.

– Il est arrivé quelque chose, Alix ?

– Rosa Davis m'a appelé il y a un instant.

– Rosa ? De New York ?

– De New York. Elle venait de recevoir un mail de Bruno Le Plessy lui demandant s'il était vrai que Brune était sa fille.

– Mon Dieu, elle lui a dit ! me suis-je exclamée.

Sous le choc de la visite de Peggy, m'efforçant de ne plus penser qu'à mon émission si proche, samedi, j'avais totalement oublié la leçon de pilotage de mardi.

– J'ai mieux compris pourquoi elle s'est décommandée pour notre dîner d'hier, a poursuivi Alix. Mais revenons-en à Rosa. Elle a confirmé à Le Plessy sa paternité, bien sûr. Depuis, nous essayons tous les trois de joindre Brune sans résultat. À signaler qu'elle n'est pas allée à son hôpital ce matin.

– Le salaud, me suis-je révoltée, le salaud...

– Votre « salaud » vient de m'appeler lui aussi. On dirait que ça devient le bureau des renseignements, ici. Il est dans tous ses états. Il m'a raconté que Brune lui avait balancé la nouvelle avant de se sauver sans plus d'explication.

– C'est faux ! Elle ne s'est pas sauvée. Il l'a virée.

– Qu'en savez-vous, Julie ? Vous y étiez ?

Alix est venu se planter devant moi.

– Bon sang, est-ce que, pour une fois, vous pourriez essayer d'être un peu moins inconditionnelle de vos amies ? Mettez-vous à la place de cet homme. Il revoit Rosa à New York et elle ne lui parle de rien. Et puis Brune débarque à l'aéroclub et j'imagine tout à fait la façon dont elle lui a... balancé la chose : à prendre ou à laisser. Comment pensiez-vous qu'il allait réagir ? En lui ouvrant les bras : « Salut, princesse, ravi de faire votre connaissance » ? Pour la foutue orgueilleuse qu'est Brune, quelle que soit la réaction du malheureux, elle ne pouvait être à la hauteur.

– Brune n'est pas orgueilleuse, elle est fragile, ai-je murmuré.

Le visage d'Alix s'est adouci.

– Croyez-vous que je ne le sais pas ?

Il est allé à son bureau et il a pris une cigarette dans un tiroir. Il l'a glissée entre ses lèvres mais ne l'a pas allumée. Il essayait d'arrêter de fumer... pour plaire à une certaine mouche drosophile, pas pour obéir aux oukases de Brune, assurait l'autre orgueilleux. L'autre fragile.

– Alors, son père vous a appelé ? ai-je demandé timidement. Qu'est-ce qu'il vous a dit ?

– Que tout salaud qu'il soit, il avait quelques questions à lui poser.

– Ça ne va pas être facile d'organiser les retrouvailles, ai-je constaté avec un rire.

– C'est pourquoi il compte sur vous. Il paraît que, lors de la première rencontre, vous avez été sa passagère.

– Il compte sur MOI ?

Le téléphone a sonné. Alix a dit : « Je l'attends, vous pouvez le faire monter. »

LUI ?

Mon boss favori est sorti dans le couloir. Quelques minutes plus tard, il revenait, accompagné d'un pilote aux cheveux argentés, dont la couleur des yeux n'était plus du tout firmament.

– Julie, cette fois, c'est vous qui allez prendre les commandes. J'ai cru comprendre que ma fille vous faisait confiance.

23.

Quand j'avais rompu avec Julian, mes amies avaient été là pour m'aider. Lorsque Zabelle avait failli perdre la vie en bord de Loire à cause d'une certaine « femme en noir », nous nous étions toutes précipitées à l'hôpital. Et le premier réflexe de Bobine, voyant apparaître Peggy dans son magasin, avait été de nous appeler au secours.

Toutes pour une. Une pour toutes.

Le tour de Brune était venu. Nous allions lui montrer de quel bois se chauffaient les mousquetaires.

« Vous êtes impossibles », nous avait-elle crié lorsque Bobine et moi avions décidé de l'accompagner à Mauves après le suicide de Guy Lepape.

Et décidées à le rester.

Nous nous sommes donné rendez-vous dans l'arrière-salle d'un bistro, déserte en ce jour de grand beau. Alix n'a pas été convié. Si les choses tournaient mal, Brune ne devait pas pouvoir l'accuser de complot. Ainsi resterait-il un dernier recours.

Mais les choses tourneraient bien, n'est-ce pas ?

Le pilote a d'abord eu droit à une bio complète de la Blackie : son enfance, sa vie, son œuvre : une sacrée réussite !

Poussée par un vent qui portait son nom.

J'avais condamné trop vite Bruno Le Plessy. Il était bien l'homme que j'avais perçu lors de la première leçon. Pas le genre à fuir ses responsabilités. Nous ne lui avons posé aucune question sur sa famille. Même Bobine a résisté à l'envie de lui demander ce que son épouse et future grand-mère penserait d'un beau fruit brun dans l'arbre généalogique.

Il était presque sept heures. Nous restait à retrouver la fugitive. On ne l'avait pas vue à l'hôtel-Dieu. Jusqu'à nouvel ordre, notre résidence secondaire n'était pas fréquentable ; elle ne pouvait être que dans la principale.

C'est là que le commando s'est rendu.

Chaque maison de la fameuse rue Kervégan possède sa cour : une entrée sur la rue, une sur le fleuve qui faisait autrefois de Feydeau une île en forme de bateau. Sol pavé, élégantes volées de marches montant à la tour qui permettait de voir arriver la marchandise, fenêtres ornées de balcons en dentelle, autant de merveilles. Et, dans la cour de Brune, un bonus : quatre mascarons représentant les éléments.

Coquille Saint-Jacques pour l'eau.

Château pour la terre.

Joues gonflées pour l'air.

Et, pour le feu, des cheveux en forme de flammes.

En compagnie de Marcel, notre amie y prenait le frais entre les bacs de fleurs, lisant ou faisant semblant, dans un vaste fauteuil en osier. Cheveux libres, courte robe de couleur éclatante, elle était plus belle que jamais et, la découvrant, Bruno Le Plessy a retenu son souffle.

Je me suis bêtement sentie fière : eh oui, monsieur, c'est mon amie !

Inconditionnelle...

Avec un aboiement joyeux, Marcel s'est précipité pour nous faire fête, le livre est tombé, Brune a bondi sur ses pieds. Nous avions résolu de ne pas la laisser se sauver. Elle n'a pas essayé.

– Tiens, monsieur Le Plessy. Que me vaut l'honneur ? a-t-elle persiflé sans nous accorder un regard.

– Je me disais que nous pourrions parler. Hier, tu ne m'en as guère laissé le loisir, a répondu son père.

Brune a levé le sourcil.

– On se tutoie, maintenant ?

Il a semblé désemparé. Il a esquissé un pas vers elle. Elle a reculé.

– J'ai eu Rosa au téléphone, lui a-t-il appris. Elle m'a raconté une histoire surprenante. Je ne lui ai pas caché que j'aurais préféré la connaître à ses débuts.

Brune a eu un rire bref.

– Ma mère est comme ça. Elle déteste mettre le bordel dans la famille des autres : discrète, discrète...

– D'après ce que j'ai compris, son mari s'est très bien arrangé du bordel, nous avons même trinqué ensemble. Ne crois-tu pas que j'avais le droit d'être mis au courant ?

– C'est que le droit entraîne des devoirs parfois difficiles à assumer, a répondu Brune du même ton railleur. Et le passé est le passé. Ne gâchons pas l'arrivée du futur petit-fils.

Le malaise montait en moi. Au début, le ton dégagé de Brune m'avait soulagée. Il me nouait à présent le ventre. J'aurais préféré la colère. Ne dit-on pas une « bonne » colère ? Et même une « sainte » colère ?

– Si le passé est le passé, alors veux-tu m'expliquer pourquoi tu es venue me trouver ? a demandé Le Plessy en élevant la voix.

– Mais tout simplement parce qu'on m'y a obligée, a répondu Brune. D'abord ma maman, qui s'est même payé le voyage pour ça...

Elle nous a désignées : « Puis ces demoiselles. Elles ne me démentiront pas. »

À une fenêtre, des têtes sont apparues. Nous étions sur une scène de théâtre. Décor : maison de négrier. Protagonistes : père et fille, Blanc et Blackie, de la vieille histoire, en somme. Comédie ? Tragédie ? On ne le savait pas encore.

J'ai surpris le regard de Zabelle sur Brune, admiratif, presque jubilatoire : ce soir, le panache, c'était elle. Bobine, venue avec enthousiasme, se faisait à présent toute petite. Il arrive qu'elle ait du flair en ce qui concerne les pères.

Et on peut se suicider par panache.

– Autre chose sur ma mère, a repris Brune. Elle a toujours été très naïve : pas une seconde, elle n'a douté de l'accueil que vous me réserveriez. Du coup, j'ai commis une faute impardonnable : j'ai oublié de faire procéder aux tests ADN.

– Arrête ! a crié cette fois Le Plessy.

Puis il a essayé de rire : « Pas besoin de tests pour constater que tu as pris mon foutu orgueil. »

Il a tendu la main vers Brune. Celle-ci a croisé les siennes derrière son dos.

– J'ai surtout pris la discrétion de ma mère. Je sais me retirer.

Elle a ramassé son livre.

– Vous voyez, monsieur, j'ai très bien vécu trente ans sans vous. J'ai un boulot qui me plaît, des amies chiantes mais bon... Je n'ai besoin ni de votre nom ni de vos sous. Je ne vous aime pas. Alors je propose qu'on en arrête là. La seule chose que je regretterai, c'est de ne plus voler. Mais avec un minable navigateur qui se prend pour un dauphin, non merci.

24.

J'ai une mère qui parle peu. Trop peu d'ailleurs à mon goût et à celui de Caroline. Nous le lui avons souvent reproché. Pas Hugues.

Les seuls mots dont elle ne se montre jamais avare sont ceux de la tendresse. Encore se contente-t-elle le plus souvent de nous les transmettre avec les yeux.

Quand j'étais petite, je me demandais où elle pouvait cacher les autres, ceux que j'entendais parfois éclater dans les familles de mes copines, ou à la télé, sous le coup de la peine ou de la colère. Je les imaginais comme de petites mines dans sa poitrine. C'étaient elles qui lui donnaient ce souffle court, cette voix trop souvent étranglée. J'aurais préféré l'explosion.

– Pourquoi tu lui dis pas, maman ? Pourquoi tu lui dis rien ? lui avais-je reproché un jour après que mon père, tout parfumé, se fut envolé vers l'une de ses conquêtes.

Maman m'avait regardée avec un sourire fatigué. Elle avait caressé ma tête.

– Tu sais, Julie, il y a des mots ineffaçables. C'est de l'acide. Tu pourras y appliquer toutes les pommades du monde, tu mourras, leur brûlure au cœur. Ces mots-là, il faut éviter de les laisser échapper.

Brune avait prononcé les mots ineffaçables et ils avaient brûlé tant son cœur à elle que celui de son père. Moi-même en avais reçu des éclaboussures. Quelque chose s'est délité en moi : la confiance. J'ai compris que c'était grâce à la force de Brune, à sa solidité, que, jusque-là, j'avais réussi à tenir debout malgré l'horreur de ce qui nous arrivait. La solidité se fissurait. La peur m'emportait.

Brune est remontée dans ses appartements, Bruno est parti sans un mot, Bobine sanglotait.

– Allez, viens, je te rentre, lui a proposé Zabelle, apitoyée.

Et comme il est interdit de monter à trois sur une moto, je suis restée seule.

J'ai appelé Xavier Baupin, je lui ai rappelé ce qu'il m'avait dit un soir, après qu'à Trentemoult j'avais découvert sur la cassette de France 3 la présence de notre ennemie.

« Si vous avez besoin de moi, Julie, frappez au carreau. »

Eh bien voilà, je frappais des poings et des pieds : vite, Xavier, je coule.

– Où êtes-vous ?

J'étais en bas de mon trou pour une seule petite souris, où je ne parvenais pas à monter. Et, lorsque, au vu de tout le quai, sans se préoccuper du regard des détectives privés de France et de Navarre, Xavier m'a prise dans ses bras et longtemps serrée, j'ai compris le sens du mot « frère ». Et, pensant à Hugues à qui, pas une seconde, je n'avais songé à faire appel, j'ai eu un peu de peine. Mais l'affection a besoin de disponibilité. Et, sous les beaux seins des statues du parc de Procé, Hugues ne m'avait jamais semblé chercher à entendre battre les cœurs.

L'appartement de Xavier lui ressemblait, élégant, peuplé d'objets choisis sur lesquels se penchaient des tulipes au col de soie, mes fleurs préférées. Chez lui, tout se conjuguait au pluriel. Son compagnon, régisseur de théâtre, était en tournée ; il m'a invitée à rester aussi longtemps que je voudrais.

Pour commencer, moi dans un fauteuil de grand-mère, lui à mes pieds sur un pouf marocain, nous avons dégusté un porto de derrière les fagots qui a enveloppé de sa robe de velours sombre les paroles ineffaçables de Brune.

– Et maintenant, raconte-moi toi, a-t-il demandé après que je lui ai longuement raconté Brune. Et le tutoiement allait de soi.

Moi ?

Eh bien, c'était simple comme « au revoir ». Je venais de faire mes adieux aux histoires déraisonnables que je me racontais depuis bientôt un quart de siècle.

Les contes de fées n'existaient pas.

Exit un goéland argenté emportant une grande petite fille sur ses ailes.

Exit la belle histoire de mon père confus et repentant revenant à ma mère.

La maison de l'adolescence où refleurissent rêves et amitié.

L'âme sœur avec laquelle la distance ne compte pas et qui partage tout sans qu'il soit besoin de parler.

Les sorciers triomphaient toujours.

Et j'étais terrifiée.

Nous avons commencé par la maison de l'adolescence. Je n'ai eu qu'à reprendre le fil là où je l'avais laissé à Trentemoult, dans le restaurant aux civelles, après que j'eus reconnu la femme en noir sur la cassette.

Cette femme, nous pouvions la nommer aujourd'hui : notre ancienne et très chère amie.

Je ne lui a rien caché de la tueuse en série. Il n'a pas mis une seconde mes paroles en doute, il a partagé ma peur.

– Julian est-il au courant pour Violaine ? a-t-il demandé le sujet terminé.

Un mauvais rire, un rire « à la Brune », lui a répondu.

– Et quand lui aurais-je raconté ? Sur un quai de gare ? Entre deux trains ? En me cachant des détectives ?

Ce qui nous a menés à l'âme sœur, muette et éloignée. Et tant pis pour mon discret vagabond, je lui ai révélé sa courte halte dans les bras que voici ; encore un peu de porto, s'il te plaît.

Xavier avait tout deviné. Il lui avait suffi de voir les yeux de son ami et de lire dans son sourire lorsqu'il parlait d'une certaine journaliste.

Ces mêmes yeux, assombris, ce sourire éteint, lui avaient fait comprendre que les bras que voilà l'avaient repoussé.

– C'est que lui aussi est aux prises avec une mauvaise fée : Viviane, lui ai-je expliqué.

Après m'avoir fait promettre le secret, il m'a confié qu'il était de la confrérie : devin, spécialisé dans les étoiles. Ces deux qui apparaissaient là-haut entre les nuages, c'était Julian et moi. Et cet astre minuscule à côté c'était – allons, pas de fausse modestie – lui en garçon d'honneur. À propos, savais-je qu'une des principales constellations avait nom : Dauphin ? Je ferais bien d'y réfléchir.

Devin ou non, un as pour libérer les bons rires, Xavier.

En attendant, le soleil répandait ses rougeurs au ciel, dissous par un quartier de lune. N'avais-je pas une petite faim ? Lui, d'ogre.

Sur son balcon, qui donnait sur de la verdure et non sur la Loire – quel repos –, nous avons fait griller des toasts que nous avons agrémentés de toutes sortes de friandises : œufs de poisson, anchois, tapenade, et aussi de tranches de concombre avec une sauce bizarre, comme en dégustent, dans les romans, les détectives anglais.

– Pour en revenir à Trentemoult, n'ai-je pas un peu aidé à sauver le voilier de Lazare ? a demandé mon hôte un peu plus tard, en choisissant dans un tiroir, pour ma personne, un pyjama en soie poudrée digne d'une princesse de conte de fées.

– Pas un peu, beaucoup.

– Sache alors que je prends en main les Valeureuses de la Chaloupe. Dès demain, j'appelle le préfet ; c'est un ami.

S'il s'adressait directement au Ciel ! D'autant que, là-haut, il n'y avait plus d'ange pour gêner la circulation.

Je lui ai donné mon accord à condition que dans trois jours, le samedi 4 juillet – tous à vos postes –, il soit mon invité parmi les spectateurs conviés à assister à la première de mon émission.

Et que le magicien n'oublie pas sa baguette afin d'éviter que le destin ne vienne à nouveau me gâcher la fête.

Il a promis.

Mais le destin...

25.

L'ai-je attendu, ce jour.

L'ai-je aimé, détesté, espéré, cet homme.

Julian est là, au second rang des invités, à côté de Xavier, m'offrant la plus éclatante des imprudences.

Durant l'émission, l'une des caméras filmera les réactions du public, et tous les détectives de France et de Nararre pourront le découvrir, assistant à ma première.

Ce n'est même pas Xavier qui l'a invité, mais Germain Labauville, son ami.

– Si je me souviens bien, c'est grâce à Julian que je vous ai connue, Julie. Il ne manquerait plus qu'il n'assiste pas à votre triomphe.

– Cinq minutes, annonce la voix du réalisateur dans les haut-parleurs.

À ma droite sur le plateau, le présentateur consulte une dernière fois ses fiches. À ma gauche, Joël me sourit de toutes ses dents de doux requin, tandis que Solange, l'esthéticienne, procède aux derniers raccords poudre.

Mon pêcheur a fait tout un ramdam dans la salle de maquillage, refusant qu'on lui « enfarine la gueule » comme son merlu avant de le jeter à la poêle. Lorsqu'on lui a expliqué que la chaleur des projecteurs risquerait de transformer son nez en phare, il s'est indigné : « Et alors, ça ne vous plaît pas, les phares ? »

Le cirque a recommencé avec la pose du micro-cravate à sa chemise ; pas besoin de ce truc pour un habitué à faire la retape à son étal.

Les techniciens étaient écroulés.

« Ça va, Julie ? » demande la voix d'Alix dans mon oreillette.

– Ça va.

Sinon que le siège de Brune est vide. Elle avait pourtant promis d'être là. Il faut dire que Brune, ces temps...

Espérons qu'elle nous rejoindra pendant la pause... où il sera question de dons d'organes et greffons divers et variés.

Ainsi qu'une lointaine autre fois, Xavier m'adresse le V de la victoire. Il s'est montré un coach impérieux, impérial. Matin et soir, durant les trois jours où il m'a hébergée, il n'a cessé de me communiquer confiance et enthousiasme.

Enfin, on allait voir sur l'écran du positif, du vrai, de l'émouvant. J'aurais derrière moi tous ceux qui en avaient assez qu'on leur jette de la poudre aux yeux ou de la boue à la figure.

J'ai accepté d'oublier la Chaloupe jusqu'au grand show. Il y a eu la révolution des œillets, j'ai ma plus modeste : des tulipes.

« Attention, générique. »

La musique s'élève tandis que s'inscrit sur l'écran :

BONJOUR TOUT LE MONDE

Une émission conçue et animée
par Julie Guillemin.

Sous le T-shirt choisi par mon mentor, rose bien entendu – ayons le courage de nos opinions –, ma poitrine se dilate. Il arrive que des rêves déraisonnables se réalisent. L'inattendu, c'est qu'à ma joie se mêle comme une douleur. On en apprend tous les jours.

– À vous, Julie !

À son labo où Brune était venue tôt ce samedi matin pour tenter de rattraper un retard abyssal, elle avait entendu de nombreuses sirènes de pompiers. Mais n'était-ce pas un bruit courant dans l'entourage d'un hôpital ? Sans doute un carambolage sur la route.

Plus tard, déjeunant d'une salade à la cafétéria avant de se rendre à l'invitation de Julie, ses voisins ne parlaient que de l'incendie.

– Un incendie ? Où ça ? avait-elle demandé.

– Près de la place Royale.

Son cœur s'était glacé : place Royale, la librairie.

Elle avait abandonné son plateau et commencé sa course folle, ne s'arrêtant que le temps de reprendre souffle et laisser un message à Jocelyn – un de plus. Quand se déciderait-il à la rappeler ? Lui seul pouvait l'aider. LES aider.

La fumée avait envahi l'œuvre des architectes des Lumières. Autour de la fontaine de granit bleu, une petite foule se pressait, toutes les têtes tournées vers la ruelle barrée par les voitures des pompiers.

– Pardon, pardon... laissez-moi passer. Je suis médecin...

Brune jouait des épaules et des coudes, écartant les gens sans ménagement dans un concert de protestations. La peur, la culpabilité, tordaient son ventre : la mort suivait ses pas. Guy Lepape après sa visite, d'Ajancourt ce matin. Une partie de billard pour l'un, un jeu de tarots pour l'autre. Et si c'était elle qui avait montré le chemin à la criminelle ?

Les lances étaient rentrées, le feu vaincu, la Roue de la Connaissance en cendres. Une odeur âcre, poisseuse, montait des débris de verre et de bois parmi lesquels des milliers de livres achevaient de se consumer, certains ouverts en une ultime incantation. Où était la cloison mobile derrière laquelle se trouvait le bureau sans fenêtres du gros garçon qu'elle était venue débusquer dans sa retraite ? De l'enfant aux cheveux blancs dont le regard ne s'animait que lorsqu'il parlait par la voix de son ancêtre ?

Brune avait tenté de franchir le ruban jaune du cordon de sécurité.

– C'est interdit, madame.

Le pompier qui lui barrait le chemin n'avait pas vingt ans. Son visage noirci sous le casque faisait ressortir un regard candide.

– Le propriétaire de cette librairie... était un ami. Savez-vous s'il est...

Le mot se refusait à passer ses lèvres. Cela aurait été comme se désigner.

Le jeune homme hésita à répondre.

– S'il te plaît, supplia Brune.

Il regarda autour de lui.

– Nous sommes malheureusement arrivés trop tard. Il logeait sur place. C'est sans doute la fumée qui l'a tué. Il n'a pas dû souffrir.

Suivant des yeux la direction qu'il indiquait, un coup de poignard transperça la poitrine de Brune.

Ne distinguait-elle pas des morceaux de cadre ? Celui qui renfermait le portrait d'un homme au visage noble : Louis d'Ajancourt.

– Quand le feu a-t-il pris ?

– Par chance, avant l'ouverture. On ne déplore aucune autre victime. Du papier et du bois. Il a suffi d'un rien, vous savez, madame. Cela a dû prendre comme une allumette. Les extincteurs n'ont même pas été utilisés.

« Une femme a demandé à me rencontrer, son visage portait la haine, j'ai refusé... »

Le cœur de Brune explosa.

– Ce feu n'est pas accidentel, déclara-t-elle. Pouvez-vous me mener à vos supérieurs ? J'ai une déclaration à faire.

À quelle heure avait-elle constaté que son portable n'était plus dans sa poche ? Les pompiers, la police... elle venait de signer sa déposition. Il était près de trois heures.

Reste calme. Réfléchis.

Quand s'en était-elle servi pour la dernière fois ?

Peu avant d'arriver place Royale : pour appeler Jocelyn.

Elle se revit sur la place, écartant les gens, les mains, pour se frayer un chemin jusqu'à la ruelle, bousculant, bousculée.

Et si elle ne l'avait pas perdu ? Si on le lui avait volé ?

L'avait-elle éteint après avoir envoyé son SMS ?

C'était non.

Seigneur !

Si son portable était entre les mains de Violaine, celle-ci aurait eu tout le temps d'appeler qui elle voulait en son nom.

26.

Bobine avait commencé par râler : quand même, Julie aurait pu se débrouiller pour leur trouver des places ! N'avait-elle pas invité Brune ?

Mais non, avait répliqué Zabelle. Pour Brune, c'est Alix qui lui avait demandé de venir. Et Julie n'ayant droit qu'à une seule invitation, il y aurait eu forcément une jalouse ; elle avait donc bien fait de convier le délicieux Xavier.

Le « délicieux Xavier »... Zabelle ne l'appelait que comme ça : un brin raciste à son habitude.

Toutes les deux avaient regardé l'émission ensemble au Septième Ciel. Second samedi que Bobine fermait sa boutique : mauvais ! D'ici que ses patrons la virent. Elle avait mis une pancarte à la porte : « De retour à quinze heures trente pour cause de deuil. » Ça marche toujours.

Quand Julie était apparue sur l'écran, elle avait sincèrement été bluffée. Ravissante dans son T-shirt rose, même s'il moulait des seins de rien du tout. Et pour le maquillage, houla !

Parmi les spectateurs, Zabelle avait tout de suite repéré Julian à côté du « délicieux ». Elle avait levé son verre de jus de papaye à sa santé. Pour le champagne, on attendrait le dîner prévu avec l'héroïne du jour.

À ce dîner étaient conviés Brune, Alix et Xavier. Faudrait-il donc rajouter Julian ?

– Comment peux-tu même te poser la question ? s'était indignée Zabelle.

Bobine n'avait pu repousser une mauvaise pensée : Julie-Julian, Brune-Alix... Heureusement que Fabrice avait épousé sa Marie-Agnès une semaine auparavant (à Paris), sinon, qui aurait été la seule à rester sur le carreau ?

À propos de Brune, son siège était resté vide : une place gâchée. On aurait pu s'y attendre d'ailleurs. Depuis qu'elle avait fiché son père dehors, Brune n'était plus la même. Seule Julie trouvait encore grâce à ses yeux.

Sur l'écran, celle-ci interrogeait le pêcheur. Pas intimidé pour deux sous, ses grosses cuisses écartées, il parlait fort, en faisant des grands gestes, comme s'il était en train de sortir son poisson. N'empêche que lorsqu'il avait déclaré qu'avec deux reins en bon état de marche il était tout naturel qu'il en donne un à son petit mazouté, Bobine avait eu les larmes aux yeux en pensant à son père à elle.

Lui aussi l'avait sauvée du mazoutage en lui évitant un mariage catastrophe. Et pour le punir, Edwige continuait à le persécuter. Guerre froide au Bon Petit Coin. On ne se parle plus que devant les clients.

Deux heures vingt, déjà la pause ! Tandis qu'un professeur en blouse blanche parlait de la difficulté à trouver des donneurs d'organes, Zabelle avait sorti son portable pour y lire ses messages.

Elle en avait toujours des quantités, même la nuit. Bobine, presque jamais, même la journée. Et si par hasard elle en avait un, sa hâte de l'entendre était telle qu'elle échouait à l'attraper, la honte ! Aussi préférait-elle oublier l'appareil maudit dans un tiroir. De toute façon, si on avait besoin de la joindre, ce n'était pas difficile : elle n'avait qu'une seule adresse : boulot et domicile.

– Tiens ! Un SMS de Brune. Bizarre, bizarre. Regarde-moi ça.

Zabelle lui collait son portable sous le nez.

« RV à la Chaloupe. Vite. Chut. »

– Au moins, on sait maintenant pourquoi elle n'est pas en train d'admirer Julie.

Le message avait été envoyé à deux heures cinq. Il allait être deux heures et demie. Que se passait-il à la Chaloupe de si urgent ?

Zabelle avait composé le numéro de Brune. Sur messagerie.

– Eh bien, on n'a plus le choix. On y va.

– Mais pas maintenant ! On ne peut pas rater la seconde partie de Julie. Et moi, j'ai envie de voir Antonin. Il paraît que c'est le clou.

Zabelle avait fait démarrer son magnétoscope.

– On se passera le clou plus tard. Tu te bouges ?

– Et pourquoi « chut » ? s'était inquiétée Bobine en s'enfonçant un peu plus dans le canapé.

– Toi qui n'aimes pas les mystères, tu vas le savoir bientôt.

– Et ma boutique ? J'ai dit que je revenais à trois heures et demie.

– Tu ne crois pas qu'il y a des priorités ?

– Mais t'as vu comment je suis habillée ?

Dernière tentative de Bobine pour échapper à la convocation : jupe ample jusqu'aux chevilles et sandalettes chinoises à bride : pas une tenue pour la moto.

– Écoute, si tu ne veux pas venir, tu le dis, s'était énervée Zabelle. Tu peux même rester voir le clou. Moi, quand une amie m'appelle, je réponds.

Elle avait de ces façons de vous culpabiliser. Bobine avait cédé.

Radieux au réveil, le temps tournait à l'orage. Le vent poussait au loin d'épais nuages gris. Lorsqu'elles passèrent en bas de Mauves, elles entendirent sonner les cloches de Saint-Denis, annonçant la sortie de la messe de mariage : la fille du boulanger avec un pompier de Carquefou.

Une fois n'est pas coutume, elles avaient été invitées au vin d'honneur. Il faut dire que la Chaloupe était bonne cliente de la boulangerie. Vraiment la poisse que la noce tombe le même jour que la première de Julie. Non seulement les Malviens n'étaient pas devant leur petit écran, mais comme cela aurait fait pique-assiette d'aller à la réception sans être passées par l'église, elles avaient dû refuser.

Le 4 x 4 de Brune n'était pas dans le parking. Zabelle commençait à perdre de sa superbe. Bobine s'était retenue de faire des commentaires.

La maison était ouverte mais elles y cherchèrent en vain leur amie. Seule une croix tracée sous son nom sur le tableau des présences indiquait qu'elle était bien venue.

– Elle a dû aller faire un tour en nous attendant. Pourquoi pas à la noce ? suggéra Zabelle d'une voix fausse à souhait.

Elles auraient eu tout le temps de regarder la fin de Julie...

Comme elles revenaient sur la terrasse, un bref appel les fit sursauter. N'aurait-on pas dit celui d'une corne de brume ? Il semblait venir de leur plage. Elles se regardèrent, incrédules.

– On va voir.

Zabelle s'engagea sur le sentier. Depuis des semaines qu'il n'était pas entretenu, ça poussait de tous les côtés et, avec sa longue et large jupe, plus ses sandales chinoises, Bobine avait du mal à suivre.

Et puis, elle n'aimait pas ça. Ça commençait à sentir franchement le pourri. Au lieu de s'éclaircir, le mystère s'épaississait. L'absence du 4 x 4... La corne de brume... Jusqu'à nouvel ordre, les plates n'en étaient pas munies.

Débouchant sur la plage, elle stoppa net, le cœur en débandade.

Un long bateau blanc était amarré à leur ponton.

Impossible de lire le nom, mais le drapeau bleu sombre, avec des étoiles et une croix rouge sur le côté le criait en claquant au vent.

L'*Aventurine*.

La terreur au ventre, Bobine fit les quelques pas qui la séparaient de Zabelle et, s'emparant de sa main, la tira de toutes ses forces en arrière.

– On s'en va, supplia-t-elle. Viens, on s'en va.

Sans répondre, celle-ci sortit son portable et Bobine remarqua avec épouvante qu'elle ratait des touches. Après l'avoir écouté, Zabelle le referma.

– Toujours sur messagerie, chuchota-t-elle. Toi, tu restes là. Moi, je vais voir ce qui se passe.

– Me laisse pas, hoqueta Bobine en s'agrippant à son bras. Me laisse pas.

– Crois-tu que Brune nous aurait appelées s'il y avait du danger ? demanda Zabelle d'une voix épouvantable.

Elle écarta Bobine et marcha jusqu'au ponton où elle s'engagea. C'était trop ! Les mots « pour cause de deuil » achevèrent Bobine. Deuil. Deuil de qui ? Et si elle avait annoncé le sien ?

– Brune ? Brune ? Tu es là ? appelait Zabelle tout près de l'*Aventurine*, comme si elle ne voulait pas vraiment qu'on l'entende.

N'y va pas. Je t'en supplie.

Elle monta sur le bateau.

Très lentement, elle en fit le tour. Parvenue à l'arrière, elle adressa un signe à Bobine puis disparut dans le carré.

Tout le corps de Bobine se mit à trembler. Qu'avait voulu dire Zabelle ? Les larmes l'avaient empêchée de bien voir. Viens ? Attends ? Va-t'en ? Et Zabelle n'avait-elle pas touché son oreille ? Appelle ?

Mais appeler qui ? Jocelyn avait disparu et Julie était à la télé.

Des sanglots la secouèrent. Si au moins elle avait pris son portable, elle aurait appelé papa ; il serait venu la chercher.

Remonter ? Appeler de la maison ? « Rendez-vous à la Chaloupe »... Et si « elle » l'y attendait ?

« Courage, pense à Toussaint Louverture », avait dit Julie l'autre jour.

Ce ne fut pas le courage, mais la panique qui la fit démarrer. Tout, plutôt que rester seule.

Elle courut vers le bateau.

– Zabelle ? Zabelle ?

Sur le pont, elle perdit une sandale. Tant pis. Elle arriva à l'arrière. La porte du carré était entrouverte. Tremblant de tous ses membres, elle la poussa.

Elle vit d'abord trois queues de billard sur la table à cartes. Les trois leurs et une autre. Celle...

– Maman !

– Je vois qu'on n'a pas changé, toujours à réclamer sa mère, dit Violaine. Il ne nous manque plus que Julie. Elle ne devrait pas trop tarder.

27.

La musique du générique final s'est élevée. Les caméras se sont éteintes, au-dessus de la porte, la lumière est passée au vert. Des applaudissements ont retenti.

Sur l'écran, c'était la pub ; avant une série américaine très appréciée de ma mère.

– Bravo, Julie, c'était parfait, a approuvé le présentateur.

– Tu as trouvé ta vocation, petit, a annoncé Joël à son fils. Drucker n'a plus qu'à bien se tenir.

J'ai terminé mon verre d'eau et retiré mes micros pour embrasser mes invités, les bonnes joues rugueuses du pêcheur, la joue fine, encore creusée du fils.

– Vous avez été magnifiques.

Émouvants, drôles, authentiques, et ma poitrine se gonflait de joie et de fierté.

J'ai gagné.

Visages radieux, Julian et Xavier venaient vers moi. Je suis descendue du plateau pour les accueillir.

– Qui osera encore prétendre que les contes de fées n'existent pas ? a soufflé Xavier à mon oreille.

Sans prendre garde au photographe qui promenait son appareil partout, Julian m'a prise contre lui et ses lèvres ont effleuré les miennes : l'imprudence devenait défi. Je t'aime, je t'aime.

Et puis c'était au tour de Germain Labauville de m'embrasser sous le regard amusé d'Alix.

– Ainsi, vous voilà reconnue, mademoiselle Julie.

Puis il s'est tourné vers l'équipe et il a frappé dans ses mains.

– Allez ! Tout le monde au petit salon pour honorer l'héroïne.

– Le temps de me débarbouiller et je vous rejoins.

L'héroïne s'est glissée hors du studio. « Ainsi, vous voilà reconnue »... Les larmes montaient; chez moi, elles ne sont jamais loin de la reconnaissance. Et ce dont j'avais besoin, c'était de temps pour me calmer, me retrouver : trop de bonheur et d'émotion à la fois.

Dans la salle de maquillage, Solange s'occupait de Joël. Joël, très exactement celui qu'il me fallait pour redescendre sur terre.

Mon pêcheur était en train de déclarer que, finalement, la poudre lui allait au teint. Pourrait-il revenir demain ?

– C'était vraiment super, m'a félicitée Solange entre deux éclats de rire. Je m'occupe de toi tout de suite, Julie.

Je me suis écartée pour interroger mon portable ; peut-être allais-je avoir une explication à l'absence de Brune, seule ombre à l'allégresse.

Suivait un gentil message de maman, il y avait bien un SMS de la Blackie. Je l'ai lu plusieurs fois sans comprendre.

« RV à la Chaloupe. Vite. Chut. »

Elle l'avait envoyé en tout début d'émission, sachant parfaitement que je n'en aurais connaissance que celle-ci terminée. Qu'est-ce que cela signifiait ?

« On ne va plus à la Chaloupe jusqu'à nouvel ordre », avait-elle décidé après la visite de Peggy. L'ordre était-il donné ?

Depuis que je l'avais accompagnée à l'aéroclub, il s'était noué entre nous des relations privilégiées. C'est moi qui servais de relais pour les nouvelles de la Chaloupe : « Rien à signaler. »

Jusqu'à aujourd'hui ? Maintenant ?

Je suis ressortie dans le couloir où Antonin attendait sagement son père. Il m'a adressé un sourire timide. Je me suis éloignée et j'ai formé le numéro de Brune ; il était sur messagerie.

Que faire ?

Avec la réception organisée par Labauville ; sans compter Julian, je ne pourrais, au mieux, m'échapper avant une grande heure. Et sous quel prétexte ?

Solange a appelé.

– Julie ? À toi.

Je n'avais pas vu Joël partir. L'esthéticienne souriait en me tendant la légère cape en tissu.

Brune a besoin de moi.

Je me suis décidée.

– Je dois m'absenter un moment, Solange. Je me démaquillerai moi-même.

Elle m'a regardée, incrédule. Puis ses yeux se sont abaissés sur mon portable. Je l'ai mis dans ma poche.

– Quelque chose ne va pas ? Des ennuis ?

CHUT.

– Si, si, ça va.

Ma voix avait dérapé. À présent son regard s'inquiétait.

– Et les autres ? Qu'est-ce que je leur dis ? Tu sais bien que tout le monde t'attend.

– Tu leur dis que j'ai eu un imprévu, que je reviendrai le plus vite possible.

Je me suis sauvée par les coulisses.

À cette heure, la circulation était encore fluide, et il ne m'a pas fallu plus de vingt minutes pour arriver à Mauves. Le bourg retentissait d'un concert d'avertisseurs, le mariage, c'est vrai, je l'avais complètement oublié. Pourtant, apprenant qu'il aurait lieu à l'heure de mon émission, quelle déception ! Aucun Malvien pour m'admirer. Me reconnaître ?

Eh bien, tu n'auras qu'à passer au vin d'honneur. Avec ton beau T-shirt rose et ton maquillage savant, sûr que tu feras un malheur, me suis-je moquée de moi-même.

J'empruntais déjà le pont. J'ai tourné la tête vers notre maison. Le choc a été tel que j'ai écrasé le frein. La voiture a calé. J'ai senti la sueur ruisseler dans mon dos.

Le long bateau blanc était amarré à notre ponton, un drapeau australien flottant à l'arrière. Inutile d'en chercher le nom, il hurlait dans ma tête. L'*Aventurine*.

Une voiture venait en sens inverse. Une camionnette a klaxonné derrière moi. J'ai redémarré et tourné sur le sentier.

« Des amis l'ont vue à Thouaré. »

À quelques encablures de Mauves...

« Rendez-vous à la Chaloupe. Vite. Chut. »

Le 4 x 4 de Brune n'était pas sur le parking mais j'y ai trouvé la moto de Zabelle, deux casques attachés au guidon. Elles étaient donc venues ensemble ?

L'estomac noué, les jambes en flanelle, j'ai atteint la terrasse. Les stores de la baie étaient levés. Dans l'entrée, j'ai regardé machinalement vers le tableau des présences : une croix était tracée sous le nom de Brune. Les épaules courbées, je suis passée dans le salon, avançant à petits pas, comme si je craignais de LA voir surgir à tout moment devant moi. Voilà qu'à nouveau je n'arrivais plus à prononcer son nom...

Sur le canapé, des vêtements étaient jetés : le blouson de Zabelle, le large châle de Bobine. Mais alors, Brune ? Je n'y comprenais rien. Une histoire de fou.

De folle ?

Ma main tremblait en sortant mon portable. J'ai formé le numéro de Zabelle. Il était sur messagerie. Inutile d'essayer d'appeler Bobine, elle laissait toujours le sien chez elle.

J'avais soif mais je n'ai pas bu. Je suis revenue sur la terrasse. Le vent s'était levé, de lourds nuages se formaient à l'horizon, l'orage s'annonçait. Pas de maraîchers le samedi. Comme j'aurais voulu qu'ils soient là ! J'avais souhaité redescendre sur terre, je m'y enfonçais.

Une nouvelle fois, j'ai composé le numéro de Brune. Réponds, je t'en supplie. Réponds.

« Ici, Brune, si vous voulez laisser un message. »

Un sanglot d'impuissance est monté dans ma gorge.

Quelque part, comme le bref appel d'une corne de brume a retenti. Il me semblait que ma tête explosait. L'appel ne s'est pas répété. L'avais-je imaginé ?

L'*Aventurine.*

Le ventre tordu, je me suis engagée sur le sentier. C'était comme lorsque, enfant, je sortais dans le jardin, la nuit, et que tout ce que j'aimais, mes arbres et mes bosquets, mon muret à lézards, ma cabane, devenus des géants, complotaient contre moi, réclamant ma mort. Je faisais demi-tour et courais vers la maison, maman, maman.

J'étais grande – on dit adulte –, maman n'était plus là pour m'ouvrir ses bras, notre maison était hantée, il n'y avait plus de refuge nulle part.

Je suis arrivée sur la plage.

Le pont du voilier était désert. On n'entendait que les coups sourds que portait l'eau à sa coque. Au bourg, les klaxons s'étaient tus. Je me suis arrêtée.

Xavier. Appelle Xavier.

Ah, il serait dans un bel état, mon coach, s'il me voyait là, alors qu'il savait tout du danger qui nous menaçait.

CHUT.

Brune m'attend.

Les jambes en coton, j'ai avancé jusqu'au ponton.

Je viens, Brune.

Sur le pont de l'*Aventurine*, une sandalette de tissu avait été semée, caillou noir de Petit Poucet.

J'y suis montée.

Me voilà, Bobine.

« Inconditionnelles », m'avait reproché Alix.

J'ai ramassé la sandale. La porte du carré était fermée, je l'ai poussée.

– Tu en as mis du temps, a dit Violaine.

28.

– Où est Julie ? cria Brune.

Elle venait de jaillir à la porte du petit salon où, autour du buffet, les conversations s'étiolaient.

Cette question, tous se la posaient depuis un bon moment. Mécontent, Germain Labauville avait quitté les lieux. Le visage dévoré d'angoisse de la nouvelle venue souleva un vent de stupeur et d'effroi. Alix s'élança.

– Mais nous l'attendons justement. Elle a eu un imprévu. Dis...

– Un imprévu ? Quel imprévu ? le coupa Brune.

Julian et Xavier avaient rejoint le couple.

– Que se passe-t-il avec Julie ? demanda Julian d'une voix anxieuse.

– Est-ce qu'elle a reçu un coup de téléphone ? poursuivit Brune sans répondre.

Alix désigna Solange.

– En salle de maquillage.

En trois enjambées, Brune fut près de l'esthéticienne. Elle s'empara de son bras.

– Qui l'a appelée ?

– Mais je ne sais pas. Je n'ai rien entendu. Je crois que c'était un message sur son portable.

– Quel message ? Elle te l'a dit ?

– Elle m'a seulement dit qu'elle devait s'en aller et qu'elle reviendrait le plus vite possible. Je lui ai demandé si elle avait des ennuis, elle a répondu que non. – Solange était au bord des larmes. – Elle ne m'a pas laissé le temps de la démaquiller, ajouta-t-elle plus bas, comme si cela aggravait encore les choses.

– Seigneur..., murmura Brune en fermant les yeux.

Xavier lui tendit un verre d'eau : « Bois ». Elle le vida d'un trait.

– Brune, explique-toi, l'implora Alix.

Elle leva vers lui un regard chaviré.

– On m'a volé mon portable. J'ai peur que Julie n'ait été attirée dans un piège. Zabelle et Bobine aussi. Je n'arrive plus à joindre personne...

– Les mousquetaires, constata Xavier à mi-voix.

Il posa la main sur le bras de Brune.

– Julie m'a tout raconté.

– Tout raconté quoi ? explosa Julian. Est-ce que j'ai le droit de savoir ?

Sur le bureau, la sonnerie d'un téléphone retentit. Quelqu'un décrocha.

– Pour vous, Alix. Un monsieur qui demande à vous voir d'urgence.

Alix se précipita. Le silence était de plomb tandis qu'il répondait.

– Mais, bien sûr, vous le laissez entrer... Dans mon bureau, oui, immédiatement.

Il raccrocha et se tourna vers Brune.

– C'est Jocelyn. Il est en bas. Il dit qu'il te cherche depuis des heures.

Découvrant Brune, Julian et Xavier dans le bureau d'Alix, Jocelyn se figea. L'épuisement marquait ses traits. Son visage blafard entre les cheveux roux évoquait celui d'un revenant.

– Tu peux parler, Jocelyn, dit Brune. Ils sont au courant.

Il avança vers elle. Jamais il n'avait boité si bas.

– Je l'ai perdue, lui apprit-il avec désespoir. J'ai perdu Violaine. – Il eut un immense soupir – Ce n'est pas tout. Barbara vient de m'appeler. Elle assure que l'*Aventurine* est au ponton de la Chaloupe.

– L'île aux Roses, ça ne vous dit rien ? interroge Violaine.

– Louis II de Bavière, Wagner, les châteaux, répond crânement Zabelle.

– Les châteaux fous. Comme l'était le roi de ton cher Ludwig, acquiesce Violaine. Son château préféré se trouvait sur cette île. Lorsqu'il y hissait le drapeau, cela voulait dire : « Je vous attends. »

Le regard violet passe tour à tour sur chacune d'entre nous.

– Merci d'avoir répondu à l'appel.

En proie à un tremblement convulsif, Bobine a enfoui son visage dans mon épaule. Je resserre mon bras autour d'elle. Nous sommes dans la cabine, à la proue de l'*Aventurine*, toutes deux assises sur la même couchette. Zabelle est sur celle d'en face. Violaine se tient debout devant la porte. Par le hublot, on ne voit que du gris chahuté par le vent. À l'horreur s'ajoute le mal de mer qu'accentue le parfum du passé : Voyage.

Qu'est-ce que la vie ? Et aussi la jeunesse ? La beauté ? C'est la vibration d'une lumière, un courant qui passe, que l'on ne peut saisir mais qui s'impose. Dans le visage reconstruit de notre ancienne amie, seuls vivent les yeux et c'est la haine qu'ils reflètent.

Parfait, le nez, bien dessinée, la bouche, sans défaut, la peau. « Une femme superbe » doivent juger ceux qui la voient de loin, ou en passant. Mais s'ils s'approchent, ils ne peuvent manquer de s'interroger. À cette perfection il manque quelque chose : une chaleur ? un frémissement ? un rayonnement ? La luxuriante chevelure sombre, elle épargnée, mouvante comme une plante marine, encadre un visage synthétique.

On comprend que Violaine ait renoncé à Peter Keating.

Renoncé ? Que non. Le drapeau australien hissé sur son château clame à l'univers qu'elle n'en a pas fait son deuil.

Aux dépens de sa raison.

Tiens bon, Julie. Accroche-toi.

Jusque-là, son seul geste offensif a été pour m'arracher mon mobile, un geste éclair, irrésistible. Puis elle l'a jeté dans la Loire ainsi qu'un autre que j'ai reconnu, celui de Brune. Celui du piège.

Après, elle s'est frotté les mains, très fort, rageusement, comme si elles étaient souillées et j'ai pensé confusément : « Bien sûr, à notre époque, les portables n'existaient pas. »

Comment s'est-elle procuré celui de notre Blackie ? Où es-tu, Brune ? Je revois Marcel suffoquant à l'arrière du 4 x 4 et mon ventre se tord. Et si...

M'apparaît aussi une peinture que j'avais découverte, enfant, dans un livre d'art de mon père : un fleuve plongé dans le brouillard, la crête dentelée de montagnes, une barque où voguaient des ombres.

« Dis, papa, ça raconte quoi ? »

Ça racontait le Styx, fleuve des Enfers. Dans la barque, un passeur nommé Charon transportait sur l'autre rive l'âme des morts.

Ma vue se trouble. Vertige. Nous y sommes ! Le Styx ne coule-t-il pas en Grèce ? Dans la région d'Arcadie, aimée des bergers ? Cybèle a pris la place du passeur pour nous emmener vers l'autre rive, l'au-delà. Loin, plus loin.

Quatre coups résonnant dans le ciel, coups bénis, me ramènent sur terre. Saint Denis, au secours ! Ce sont à présent des bouffées de musique qui me parviennent : l'heure du vin d'honneur offert par les mariés au Café des Rencontres. Tout Mauves doit s'y presser. Quelqu'un aura bien remarqué le voilier à notre ponton ? Au secours, Jocelyn ! Ne nous as-tu pas promis protection ? Au secours, Julian, mon amour. Au secours, Xavier ! Là-bas, à l'endroit de mon triomphe, vous devez bien commencer à vous inquiéter. Quelle folie de n'avoir dit à personne où je me rendais !

– Et la fois où on s'était déguisées en corsaires, vous vous rappelez, les filles ? À minuit, tous au bain. Une trentaine à barboter sous la lune. Papa était fou. Il nous suppliait de rentrer. Il menaçait d'appeler les pompiers. La Capitaine s'était enfermée dans sa chambre.

Elle rit. Elle ne cesse... Les bains de lune, les bains de Loire, les soirées déguisées, les soirées théâtrales, les réunions secrètes dans sa chambre. Sans relâche, elle déroule notre passé, comme si elle cherchait à nous y ramener, nous y enfermer, ainsi que ces masques terrifiants de Carnaval, évoquant la mort, qui tendent la main aux invités de la fête.

À son habitude, Zabelle s'est transformée en statue de sel pour résister à la terreur. Elle se tient aussi rigide que Bobine est effondrée. À plusieurs reprises, son regard a appelé le mien.

« Courage », m'ordonne-t-il.

Le courage... Une simple surdose hormonale qui vous pousse à agir, affirme Brune. Zabelle s'y prépare-t-elle ? Et, s'il y a lutte, qui l'emportera d'elle ou de Violaine ?

Le collant noir, le body pailleté de même couleur, ne cachent rien du corps vigoureux de celle-ci : un corps de sportive. On dit que la folie décuple les forces. Mais ne le dit-on pas aussi du désespoir ?

Dans mon cou, je sens le souffle pressé de la « petite ». Et elle ? S'il faut fuir, aura-t-elle la force de suivre ?

Comme pour répondre à mon interrogation, Violaine pointe le doigt sur celle qu'autrefois elle traitait volontiers de poule mouillée.

– Salut, la Chinoise. Quelque chose ne va pas ? Aurais-tu vu un dragon ? un monstre ? Je t'écoute, tu peux parler franchement.

Bobine tente de nier en secouant frénétiquement la tête. L'air dégoûté, Violaine tourne à présent son regard vers moi. Un regard d'étrangère à elle-même qui à la fois vous glace et vous brûle.

– Et toi, Julie ? C'est à la télé qu'on t'a peinturlurée comme ça ? Dis donc, tu en as fait du chemin, l'écrivaillonne ! Et le beau chirurgien-dentiste, toujours le même ? Tu sais que si j'avais voulu... L'âge importait peu à ton père.

Je serre les lèvres, employant le peu de forces qui me restent à ne pas détourner les yeux du visage de cauchemar, ne pas montrer ma certitude que c'est fini : nous allons mourir. Sa folie n'attend qu'un geste de panique, un faux pas, pour exploser. Elle les cherche en nous agressant. Tout ce dont je suis encore capable, c'est de ne pas lui en fournir l'occasion.

Et lorsqu'elle s'adresse à nouveau à Zabelle, un lâche soulagement me vide.

– Dis donc, toi aussi tu les prends au berceau... le mignon Fabrice.

– Tu t'es débrouillée pour y mettre bon ordre, répond la Brave, le menton relevé, provoquant un gémissement de détresse dans mon cou.

Le regard bleu et le regard violet s'affrontent. Zabelle était la seule qui, à l'occasion, savait se défendre des railleries parfois cruelles de la déesse. Nous les lui pardonnions pour continuer à être invitées à Cybèle.

– Un de perdu... Nous voilà logées à la même enseigne, ricane Violaine. Mon cher papa à moi a dû te raconter mes fiançailles rompues avec Peter.

La voix s'est brisée sur le prénom.

– Le pauvre homme a toujours eu tendance à parler plus qu'à agir. Dommage pour lui, ajoute-t-elle avec un rire grinçant.

– Nous l'aimions beaucoup et je crois qu'il nous le rendait, répond Zabelle comme si elle ne sentait rien de l'orage qui menace.

Elle cherche à gagner du temps. Elle espère des secours. Police et gendarmerie ont été alertées par Brune. Xavier m'a promis d'intervenir auprès du préfet.

– En effet ! Que n'aurait-il fait pour ses mousquetaires, ironise Violaine en désignant les queues dans le carré. Dommage que la table ait été trop grande pour le château. Mais tu vois, Zabelle, j'avoue que tu m'as déçue. Appeler Cybèle la Chaloupe, quel manque de classe pour une adepte de Wagner. À propos, tu te souviens du *Vaisseau fantôme* ?

Un frisson me parcourt. Nous étions allées toutes les quatre entendre l'opéra, lors des Folles journées de Nantes. Le « à propos », serait-il une allusion à la situation présente ? Au vaisseau sur lequel Violaine nous a piégées ? Celui des illusions perdues ?

– Aujourd'hui, je préfère une musique moins guerrière, répond Zabelle, une valse de Strauss par exemple. Bien que la mélancolie n'en soit jamais absente. Et toi, Violaine ?

Strauss... le faux pas ? Le visage synthétique se froisse, les lèvres se tordent comme dans un miroir déformant.

– Moi ? Alors tu voudrais que je danse ?

Elle fait un tour sur elle-même, lascive, se déhanchant, offrant son corps parfait moulé de noir. De dos, c'est elle. Lorsqu'elle nous fait à nouveau face, c'est le loup, c'est la mort.

– Ils ont payé. Tous ! crie la Haine.

– Pourquoi nous ? demande le Courage.

– J'ai seulement pensé à vous offrir une petite croisière en souvenir du bon vieux temps. Bien joué, d'Artagnan, tu as presque réussi à me faire oublier l'heure. Écoute... Tu entends ? C'est la mer qui rappelle la Loire. Tu as raison. Invitation à une dernière valse.

Du menton, Zabelle me désigne Bobine. L'ordre est donné. Je m'occupe de la petite, elle se charge de Violaine.

Elle se lève.

– Merci pour la croisière, mais c'est non.

– Une suivante ne dit jamais non.

– Nous ne sommes plus tes suivantes.

Je passe mon bras autour de la taille de Bobine et tente de la faire lever. Impossible : une tonne de terreur et de refus. Zabelle fait un pas vers Violaine. Et voici que, devinant son intention, Bobine se met à hurler.

– Me laissez pas, me laissez pas.

Durant une brève seconde, Zabelle s'est tournée vers nous. Cela a suffi à Violaine : un éclair noir et la porte claque.

Bruit d'un verrou que l'on tire.

Bourdonnement d'une ancre qui remonte.

Ronronnement de moteur.

Comme un long frisson parcourt les flancs de l'*Aventurine*.

En route pour la croisière du vaisseau fantôme sur le Styx.

29.

– Vite, supplia Brune. Plus vite, Jocelyn.

Le ciel menaçant écourtait ce jour de congé, provoquant d'importants embouteillages à l'entrée comme à la sortie de Nantes. Jocelyn se faufila sur le bas-côté et progressa ainsi d'une centaine de mètres. Ils avaient perdu depuis longtemps le 4 x 4 d'Alix, transportant Julian et Xavier.

– Ne venez pas, avait crié Jocelyn. Appelez les pompiers.

– Pas difficile, avait tenté de plaisanter Brune. Ils sont sur place, à Mauves, pour la noce.

Sans l'écouter, ils s'étaient précipités au parking où se trouvait la voiture d'Alix.

– Comptez sur moi pour alerter toutes les casernes des environs durant le trajet, avait promis Xavier.

– D'Ajancourt, c'est elle qui l'a brûlé vif, bien sûr, gronda Brune. Comment as-tu pu la perdre ?

Oui, comment ? Colère et désespoir terrassèrent Jocelyn. Depuis la nuit où Violaine avait rendu visite à Lepape, provoquant le suicide de celui-ci, il ne l'avait plus lâchée.

Un rire douloureux le poignit : la suivre, une vieille habitude.

Autrefois, n'était-ce pas lui qui, à Cybèle, dressait l'échelle en bas de l'étroite fenêtre du cabinet de toilette par laquelle elle se glissait pour échapper à la surveillance de la Capitaine ? Fou d'amour, malade de jalousie, il l'emmenait sur son vélomoteur vers les bras qu'elle choisissait.

– Que ferais-je sans toi, Jocelynot ?

Elle le remerciait d'une parole, d'un regard, parfois d'un bref baiser qui le menait au ciel.

Mais ce matin, après des nuits sans sommeil, la fatigue l'avait terrassé. Quand il s'était réveillé, recroquevillé dans sa voiture, l'*Aventurine* avait disparu. Et lorsque, peu après, les sirènes des pompiers avaient retenti du côté de la place Royale, il avait compris.

– Quand as-tu su qu'elle était revenue ? demanda Brune d'une voix d'orage.

– Le talisman... quand vous m'avez dit qu'il avait disparu de votre cheminée.

Il l'y avait placé pour qu'elle soit là, pour qu'elle revienne. Il ne savait encore que ce que le docteur Fleury avait bien voulu lui dire. Après ses fiançailles rompues, l'incendie, Violaine s'était installée aux États-Unis. Pourquoi Jocelyn aurait-il mis ses paroles en doute ? Elle n'aspirait qu'à partir le plus loin possible de sa mère. Ayant appris ce que celle-ci lui avait fait, on pouvait comprendre qu'elle ne veuille plus entendre parler ni d'elle ni de Cybèle.

Les embouteillages continuaient à la sortie de Nantes et Jocelyn décida de prendre par le chemin qui longeait la Loire. Il lui sembla entendre une sirène au loin : « Vite, supplia-t-il à son tour. Vite ! »

– Le docteur Fleury m'avait caché la vérité à moi aussi, tenta-t-il d'expliquer à Brune. Il était certain que Violaine ne remettrait plus les pieds en France. Il avait même l'intention de s'installer à New York avec elle. C'est pourquoi il avait décidé de vendre la maison.

Il eut un rire qui incendia sa poitrine.

– En somme, c'est vous qui l'avez fait revenir.

– Pas moi, le contra Brune durement. Les autres, tes amies, Jocelyn. Et par tes bons soins.

Il ploya la nuque. C'était bien lui qui avait signalé au notaire qu'elles cherchaient une maison. Et il avait très vite deviné qui était leur « femme en noir », sans comprendre les raisons de son acharnement à les en chasser.

Jusqu'à cet instant terrible où il avait découvert le visage sur la cassette et souhaité mourir.

Il avait retrouvé Fleury et l'avait obligé à lui dire la vérité. Il s'était engagé à protéger ses amies. Et, peu avant sa mort, c'était le père de Violaine qui l'appelait à l'hôpital pour lui confier sa fille...

Il dut s'arrêter pour laisser passage à une camionnette venant en sens inverse. Peut-être aurait-il dû continuer par la route. Il ne savait plus ce qu'il faisait.

– Pourquoi ne nous as-tu pas averties? cria Brune. Nous nous serions mieux défendues.

Il ne répondit pas : sa faute, sa très grande faute.

– Tu l'as revue ? Tu lui as parlé ?

– Je me suis contenté de la surveiller, sans me montrer. Je ne voulais pas l'humilier, avoua Jocelyn.

– Seigneur, tu l'aimes encore. Tu l'aimes malgré..., murmura Brune, accablée.

Malgré le visage détruit, envers et contre tout, tous. À jamais.

– Mais, Jocelyn, réveille-toi, hurla Brune. Elle est complètement cinglée.

Elle lança à l'arrière de la voiture le mobile qu'elle lui avait pris et ne cessait de consulter.

– Plus aucune ne répond. Leurs portables sont morts, tu m'entends ? Morts. Qu'est-ce qu'elle a fait d'elles ?

– Les pompiers doivent être à la Chaloupe, bégaya Jocelyn, éperdu.

– Ça ne répond pas non plus à la Chaloupe. Elles te faisaient confiance.

– Pardonne-moi, Brune. Pardonne-moi.

– S'il leur est arrivé malheur, jamais !

Un groupe de cyclistes en travers du chemin les obligea à ralentir. Jocelyn écrasa le klaxon. Des visages narquois se tournèrent vers lui et les vélos continuèrent dans la même formation : maîtres des lieux.

Il comprit la haine. La haine aveugle.

Le cri soudain que poussa Brune le pétrifia. Par la vitre ouverte, elle désignait la Loire. Sur le fleuve déserté par ce temps de chien cahotait un voilier, flottait un drapeau. On n'y distinguait qu'une seule silhouette. À la barre.

– Où sont les autres ? hurla Brune. Jocelyn, où sont les autres ?

Elle ouvrit la portière et se précipita à l'extérieur. On aurait pu croire qu'elle allait se jeter à l'eau et nager jusqu'au bateau.

Comme pour lui répondre, de l'avant de celui-ci, jaillit une gerbe d'étincelles, une deuxième, une troisième : trois fusées de détresse.

Les autres étaient là.

30

Ce samedi après-midi, à Thouaré, il y avait un homme sous le choc : le pêcheur à qui, sans lui demander son avis, un énergumène, accompagné d'une femme en proie à une crise de nerfs, avait « emprunté » sa plate alors que, craignant l'orage, il la recouvrait de sa bâche.

Impuissant, Gaétan Ménard avait pu les voir, moteur à fond de cale, traverser le fleuve et se mettre à couple avec le bateau au drapeau étranger, il ignorait de quel pays, tout ce qu'il savait c'est qu'il fallait être cinglé pour s'embarquer sur la Loire par un temps pareil.

Et tandis que, là-bas, l'homme se hissait sur le pont du voilier, de partout des voitures de pompiers avaient jailli dans un charivari de sirènes.

Gaétan Ménard ne se doutait pas encore qu'il deviendrait le héros du jour à Thouaré. Des journalistes viendraient l'interviewer, la télé...

En attendant, il se demandait s'il reverrait jamais sa plate.

– Salut, Jocelyn. Ça faisait longtemps, lança Violaine.

Elle avait bloqué la barre et, de sa démarche dansante, insensible au tangage, avançait vers lui.

– Trop longtemps, répondit-il.

Derrière son épaule, Brune sauta à son tour sur le pont et il se prépara à intervenir. Mais Violaine ne parut pas la voir et Brune s'éclipsa par l'autre côté.

– Alors, je te plais toujours ? demanda la voix de son amour.

Le vent jouait avec les cheveux, voilant et dévoilant le visage, portant à Jocelyn des bouffées de parfum. La douleur l'étourdit. Il décida de ne plus voir que les yeux améthyste.

– Pour Atys, Cybèle ne changera jamais.

La plage de Thouaré n'était plus qu'un hurlement rouge accompagnant la mise à l'eau des Zodiac. À peine si elle leur accorda un regard.

– Te souviens-tu de ce que Cybèle avait fait d'Atys après qu'il l'eut trahie ?

– Après qu'il l'eut trompée, rectifia Jocelyn. Elle l'avait émasculé. Moi, je n'ai jamais eu d'autre femme que toi.

Elle rit.

– Une seule fois t'a donc suffi, berger ?

Cette nuit-là, un salaud avait voulu abuser d'elle. Jocelyn s'était battu pour la délivrer. Un couteau était sorti, lui entaillant la cuisse. L'agresseur avait pris la fuite. Violaine, elle, avait été légèrement blessée à la main. « Viens. »

Cette main s'était tendue vers lui, elle l'avait dévêtu, elle l'avait caressé. Cybèle s'était donnée à Atys et, dans le ciel enfin ouvert, Jocelyn avait fait son entrée chez les dieux.

– L'alliance du sang, dit-il.

– J'étais soûle.

– Tu étais unique. L'unique.

La Loire se souleva. Elle fit claquer ses drapeaux gris-noir ourlés de blanc. La Loire, sorcière des écrivains et des poètes, miroir mouvant des peintres, la Loire souveraine, façonneuse de châteaux et de paysages, les avertit.

Du carré, sortirent Brune, Zabelle et Julie. Toutes trois portaient des gilets de sauvetage. Zabelle se mit à la barre. Brune fit signe à Jocelyn que Bobine était sauve.

Il sentit se dénouer les liens.

Zabelle avait arrêté le moteur. Poussée par son élan, l'*Aventurine* avançait maintenant sur son erre, emportée inéluctablement vers la zone des hauts-fonds où l'attendait le fleuve des sables blonds et des roches noires, au goût de sel, au goût de sang.

Fendant les flots, la bruyante armada, menée par des hommes en uniforme noir, digne d'une déesse vêtue de même couleur, approchait, saluée par les clameurs de l'eau et du vent.

S'épaulant, Jocelyn et Violaine atteignirent le soc du bateau.

– Cybèle ne s'est pas contentée d'émasculer Atys, elle l'a transformé en pin, dit Violaine.

– Pin maritime, le plus beau des arbres de Noël.

Les Zodiac étaient au flanc du bateau, prêts à l'arraisonner. Des coups de semonce fusèrent. La Loire des lumières, la Loire des enfers, donna de la voix pour couvrir celle des humains.

– Ils ne me prendront pas, dit Violaine.

– Crois-tu que je les laisserais faire ?

Est-ce la main du berger ou celle de la déesse qui se tendit la première vers l'autre ?

– Que ferais-je sans toi ? dit la déesse.

Brune courait vers eux.

– Non, hurla-t-elle. Non.

Ils basculèrent ensemble.

31.

On appelle ces jours de fête « les Automnales ». Venant de Nantes, des bateaux-carnaval remontent le fleuve, y traçant d'éclatants sillons de musique et de joie, salués par les riverains.

Ils devraient passer devant notre maison en tout début d'après-midi.

Sur l'île, les maraîchers plient peu à peu bagage. On commence à voir de la lumière entre les branches des arbres dépeuplés. Regardant s'envoler sa chère barge rousse, le docteur Fleury lui lancerait : « Merci d'être venue. »

Avis de calme et de douceur, nous avons sorti tous les sièges de jardin. Profitons-en ! Avec cette manie qu'a la Loire de faire du ciel son prisonnier, on ne peut jamais prédire du lendemain; c'est peut-être la dernière fois avant l'an prochain.

Julian et Xavier sont allés se dégourdir les jambes en explorant les lieux. Bobine s'approche de moi : tenue n° un et demi, T-shirt moulant transparent, suggérant sans tapage. Elle a pris la décision héroïque de maigrir pour assortir le bas aux beautés du haut. Et courir plus vite en cas de danger ? En quelques semaines, elle a perdu quatre kilos. *Please*, pas trop, Bobinette, tu perdrais ton surnom.

– Dis, Julie. Tu ne crois pas qu'on a rêvé tout ça ? souffle-t-elle.

– C'est évident. On se réveille, on se frotte fort les yeux et on repart, d'accord ?

Seulement un an depuis la pendaison de crémaillère, le talisman trouvé au coin de notre cheminée, est-ce possible ? Il y a des années où l'on vieillit davantage que d'autres. On appelle ça mûrir. Si vous voulez savoir, je me serais bien passée de l'année entre mes trente et trente et un ans.

Après ce que nous avons baptisé pudiquement « les événements », il y a eu réunion des mousquetaires, suivie d'un vote : garderions-nous notre maison ? À l'unanimité, nous avons décidé d'attendre quelques mois pour prendre la décision. Nous écouterons ce que les murs nous diront.

Atys, lui, a voté sans hésiter un grand oui à la Chaloupe. Il a même choisi sa chambre, la libre, celle au bout du couloir. Impossible de le faire changer d'avis ; il doit y sentir quelqu'un. Marcel, qui avait toujours refusé toute présentation « en vue vie commune » avec ses congénères, a accepté avec enthousiasme le nouveau pensionnaire de Brune. Il faut les voir dormir dans les pattes l'un de l'autre. Notre scientifique assure que leur amitié est douteuse, sa mouche drosophile le lui a dit. Dommage que nous ne puissions espérer des petits. Roi et bâtard, ça aurait fait un malheur dans les chaumières.

– Mam'zelle Tout le Monde va bien ?

Julian et Xavier sont de retour. Xavier, une brassée de feuillage flamboyant contre sa poitrine. Il file à la maison chercher un vase. Inutile de lui montrer où ils se trouvent ; il est du genre à aller droit au but.

Derrière moi, Julian me prend dans ses bras. Je ferme les yeux.

Tout roule pour mam'zelle à la télé. Le peuple en redemande. Mis à part faire la nique à Denis Brissac et garder Frédéric, ce qui me fait le plus plaisir, c'est de constater que les gens apprécient qu'on leur parle aussi de bonheur, courage et tralala. J'ai toujours eu un faible pour les grands mots.

– Tu sais que Manon se passe tes cassettes ? m'apprend Julian. Pour elle, tu es une sorte de vedette. Elle a peine à croire qu'elle va te voir bientôt en vrai.

Pour ce faire, samedi prochain, père et fille viennent me chercher à l'issue de mon émission et en route pour La Baule. Une suite a été réservée dans l'hôtel des souvenirs impérissables.

Le divorce est en bonne voie. Il devrait être prononcé avant Noël. Mam'zelle Julie rêve de filer le parfait amour, l'amour toujours, sans tambours ni trompettes. Le rêve plus ou moins avoué de tout le monde, en somme.

– Toc-toc-toc, on peut entrer ? demande Zabelle.

– Comment dire non à d'Artagnan, répond Julian, passant à mon côté et me prenant par la taille.

Zabelle désigne Brune et Alix qui remontent de la plage. Ceux-là, l'eau coulera encore longtemps sous le pont de Mauves avant qu'on les voie enlacés. Mais, depuis les événements, Brune a mûri dans le bon sens : plus tendre et conciliante.

– Vous croyez que ça va marcher ? demande Zabelle une lueur dans les yeux.

Profitant des bonnes dispositions de la Blackie, les inconditionnelles ont décidé de repasser le plat « reconnaissance du père ». Ce soir, deux invités-surprises sont attendus pour dîner au Septième Ciel : un pilote et sa femme.

Retour aux contes de fées : le goéland a tout avoué à sa goélane qui, selon le vent, n'en a pas fait une maladie. La petite-fille de marabout doit bien connaître la recette de la pommade magique qui guérit le cœur des brûlures ineffaçables.

– Est-ce que je peux te dire deux mots, Julie ? m'appelle Bobine de la maison.

– Deux seulement ? Ce serait une première, ricane Zabelle.

Je rejoins miss China près de la cheminée. Tout est prêt pour une flambée. Il n'y a plus qu'à jeter l'allumette. Le panier déborde de bûches en prévision d'un rude hiver, à en croire les nombreuses pelures des oignons.

– Voilà, dit Bobine. J'ai réfléchi. Julian et toi, Alix et Brune... Si on décide de garder la baraque, comment on fera ? Tu n'as pas oublié le règlement, quand même ? Pas d'hommes à demeure.

– Eh bien, on modifiera le règlement. On mettra une prise pour les rasoirs dans la salle de bains, et les hommes inscriront leur croix sur le tableau des présences. Pour les frais, ça devrait même être avantageux.

Qu'ai-je dit ? Le visage rond se décompose, de grosses larmes roulent sur les joues.

– C'est pas ça ! Les croix, les frais, je m'en fous. C'est Jocelyn, Julie. Il me manque tellement.

Les sanglots secouent sa poitrine. La mienne se plombe. Adieu, leveur de maux, maître du feu, notre ami. Que ferons-nous sans toi, Jocelynot ?

Brune nous a raconté qu'avant le grand saut, main dans celle de sa déesse, il s'était tourné vers elle et que jamais elle n'oublierait son visage : heureux.

Le fleuve n'a pas rendu les corps. Ne dit-on pas que les eaux du Styx rendent immortel ?

Zabelle apparaît à la baie.

– Mais qu'est-ce que vous foutez ? Venez voir, vite !

Avec elle, c'est toujours « vite ». Un coup de mouchoir et nous la rejoignons.

Sur le pont de fer s'avance une petite foule. Ne dirait-on pas que c'est chez nous qu'elle vient ? Les premières personnes sont déjà engagées sur notre chemin, conseil municipal en tête.

Nos hommes échangent des regards complices. C'était donc ça, le champagne livré ce matin ? Les mystérieux paquets entourés de rubans de couleur dans les coffres des voitures ?

Pour célébrer la reconnaissance de la Chaloupe par les Malviens, venus assister de chez nous à la fête ?

Et les voilà, les bateaux ! Dans des froissements de taffetas, des cliquetis d'épées, la musique et la danse.

– On y va ?

Brune attrape ma main, Zabelle celle de Bobine qui crie. Quatre filles, quatre femmes, quatre amies, quatre sœurs, galopent vers l'avenir.

Loire, ô ma Loire, tu n'as qu'à bien te tenir.

Imprimé en France par

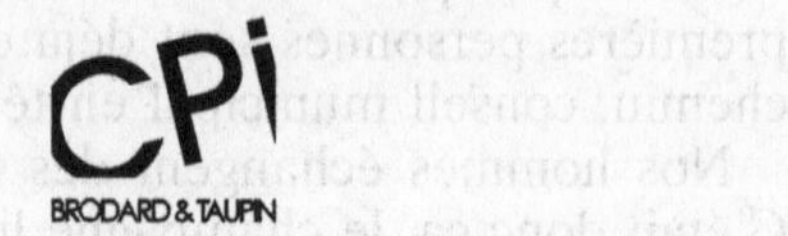

à La Flèche (Sarthe)
en novembre 2013

POCKET – 12, avenue d'Italie – 75627 Paris Cedex 13

N° d'impression : 3002523
Dépôt légal : février 2006
Suite du premier tirage : novembre 2013
S15970/10